一度は訪れたい名店と、記憶に残るあのお店

新装版

純喫茶とあまいもの

難波里奈 著

誠文堂新光社

時間、空間、人、そこにあまいものも

少し疲れて一人でいたいときも、大切な人たちと過ごすひとときも、
いつだってひと口食べるとたちまち頬がゆるむ「あまいもの」は、
気持ちをふわりと落ち着かせてくれる小さな魔法のようです。

慌ただしい日々の中での小さな逃避行としてちょうどよく、
懐かしい雰囲気にほっとできる空間が、昔ながらの喫茶店です。
そこにはプリン・ア・ラ・モードや
フルーツパフェ、クリームソーダ、ホットケーキなど、
たくさんのおいしい誘惑が待っていました。
もちろんコーヒーだけでもくつろげますが、
さらに笑顔を増やしてくれるうれしい「あまいもの」。

この本では、選びきれないほど存在する素敵なお店の中から、
思わず誰かに教えたくなるような、
とっておきの「あまいもの」たちを食べることのできるお店を紹介しています。
忙しい日常はしばらく扉の外に置いて、
お店の人たちのこだわりが散りばめられた
「あまいもの」を目指して、寄り道をしてみませんか？

この本は、２０１８年に刊行した『純喫茶とあまいもの』の新装版です。
前版を刊行後、残念ながら閉店・休業したお店は、
「記憶に残るあのお店」として巻末に収録しています。
懐かしい看板の文字、美しい調度品、居心地のいい椅子、
店主とのおしゃべり、舌に残る「あまいもの」の味。
かつて存在したお店に思いを馳せながら、
純喫茶の魅力を感じていただけたらと思います。

難波里奈

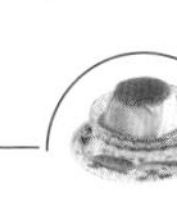

新装版 純喫茶とあまいもの

目次

パフェ

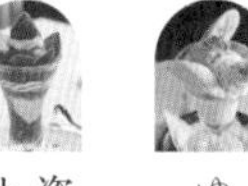

プリン・ア・ラ・モード

ホットケーキ

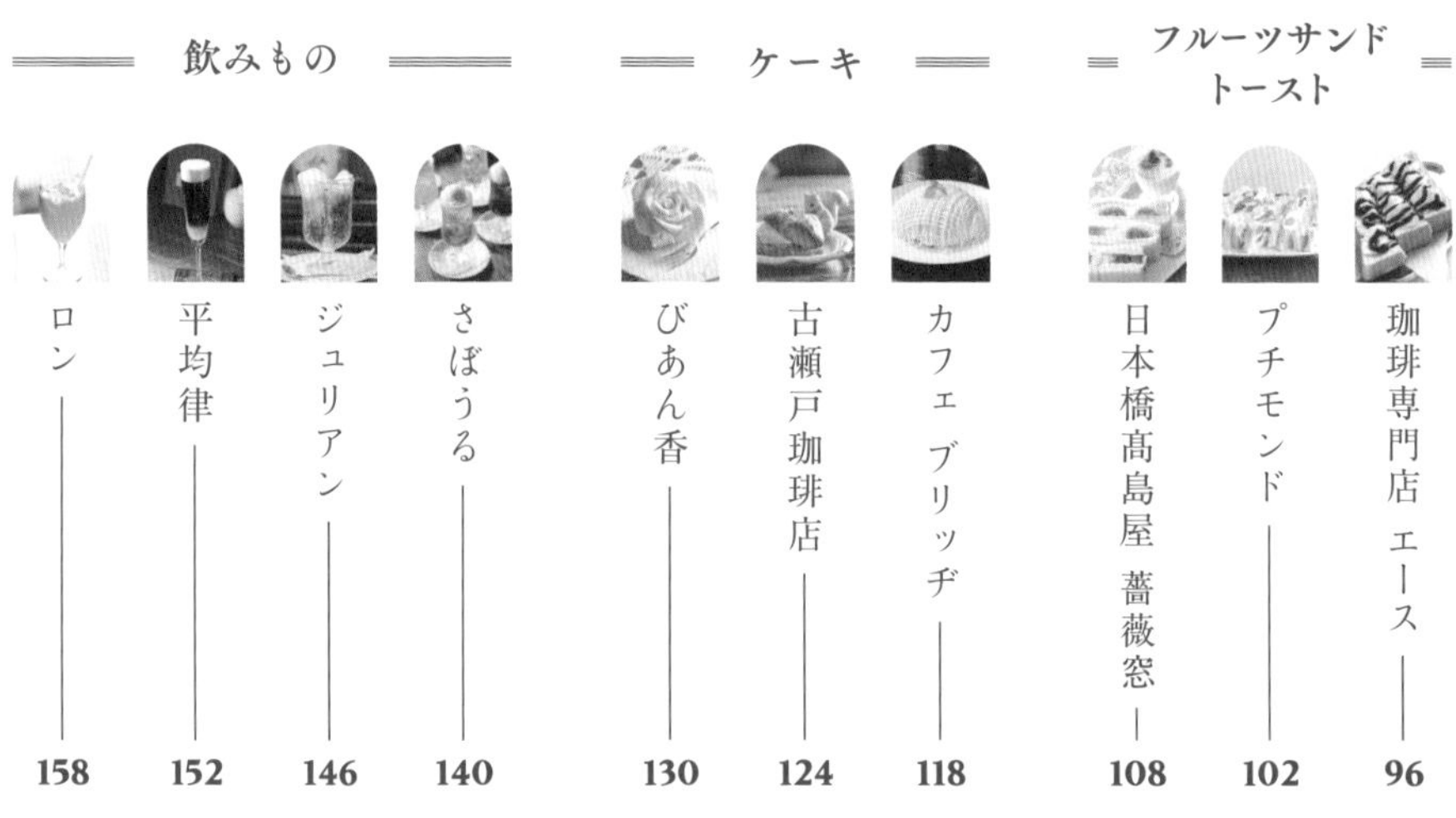

フルーツサンド トースト

ケーキ

飲みもの

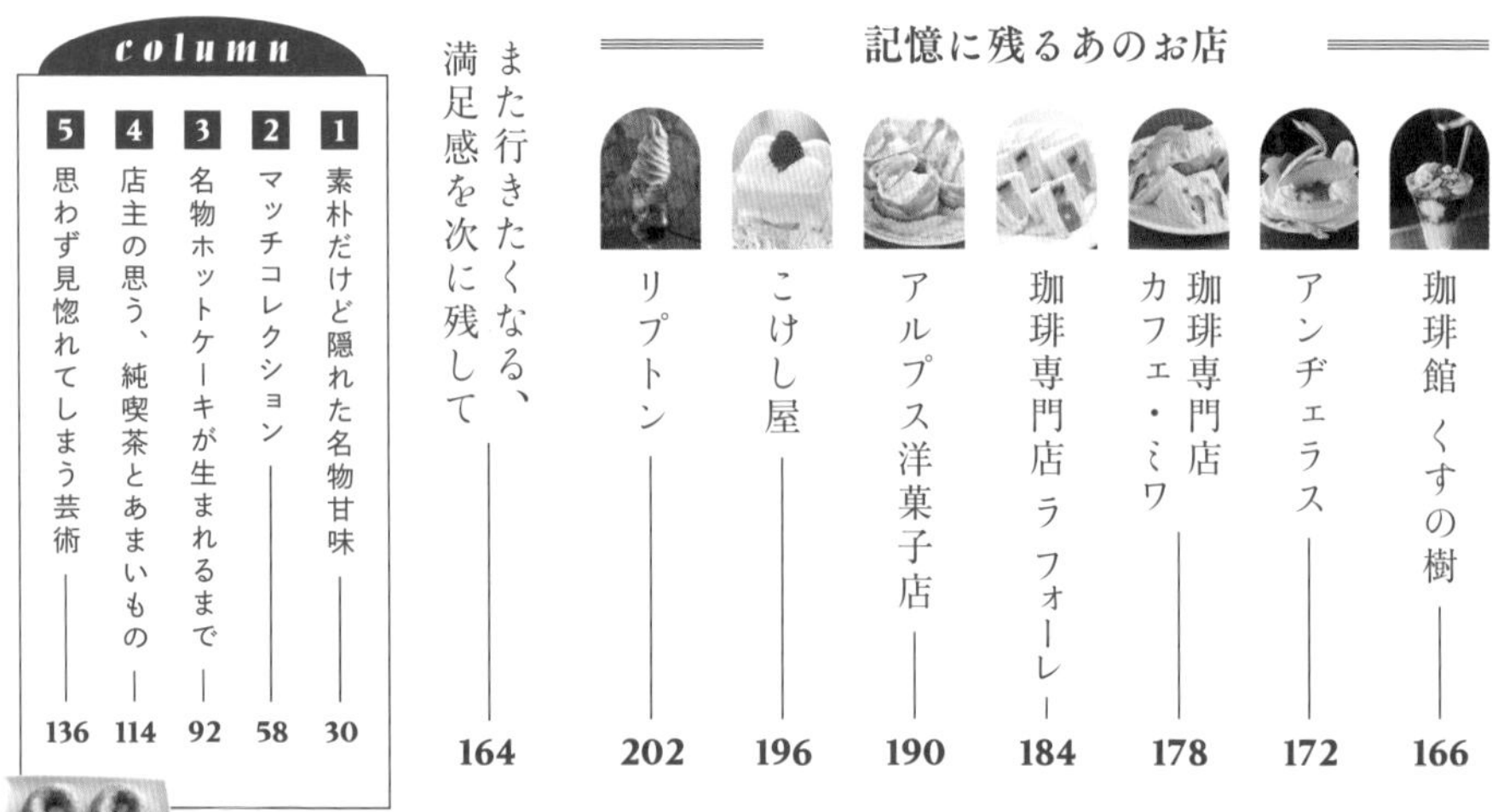

記憶に残るあのお店

column

本書は2018年に刊行した『純喫茶とあまいもの』の新装版です。

2023年1月時点の情報に基づき制作しています。お店の情報等は今後変更になる場合があります。

パフェ

ゆうらく

横から見た
色の層まで計算した
見映えのよいバナナパフェ

バナナパフェ

初代マスターの宮城さん（中央）と奥さん、後を継いだ恒宏さん。右上はマスターが飼っているビーグル犬のコロンちゃん。

人形やアクセサリーパーツの問屋街として賑わう浅草橋。近隣で働く人たちの憩いの場となっている「ゆうらく」は、昭和の面影を残しながらも、決して古くならずに常に現代と寄り添っていると感じさせられるお店です。

初代マスターの宮城さんは元々映像関係の仕事をしていましたが、喫茶店巡りが趣味だったことからお店を開業することになりました。映画「沈まぬ太陽」のロケ地にもなった店内は創業当時のままで、まるで昭和にタイムトリップしたような雰囲気。宮城さんご夫婦で守ってきたこの空間は、２０１１年から息子の恒宏さんが引き継いでいます。

文具の問屋、健康食品卸売などで会社勤めをしていた恒宏さんが、お店を継ぐことを決意したのは、初代マスターである父親の一言がきっかけでした。「会社での仕事が充実していたころ、親父が突然『もう店をやめようかな』ってつぶやいて。理由は『お客さんが全然来ないから』って。つい、『何もしてないんだから当然でしょ！』って親父にいったの。仕事は順調だったし、人生これからだっていうときにそんなことをいわれてね。継ぐのは20年後、30年後だと思っていたけど、やるならやるって決めたんだ」

お店に入り、最初におこなったのが新規メニューの開発。オムライス、ハヤシライス、フレンチトーストなどのフードメニューを加えたそうです。もちろん創業時からのメニューも大切にしており、その一つがバナナパフェ。グラスにバナナを少し入れてからメロン味のシロップを注ぎ、バナナ、アイスクリームの順に層を作っていきます。最後にカラフルなチョコレートスプレーで飾りつけという、懐かしい気持ちになれるシンプルなパフェです。

広々とした空間の店内は、赤い椅子の席、円卓の席、茶系の椅子の席に分かれている。

「チョコレートスプレーで昭和の雰囲気が出る。親父がやってきたことだからきちんと残していきたい。今まで来てくれたお客さんのことも、新しいお客さんのことも裏切りたくないんだよ。お客さんの『次は何をしてくれるの？』っていう期待には、やっぱりメニューで応えていくのが自分らしいのかなって。あと、店を経営するうえで大切なことに〝早い、安い、うまい〟というのもあるよね。夏の厨房は暑くて忙しくて倒れそうになるんだけど、店を引き継いだ責任があるから楽しいよ」という恒宏さんは、メニュー看板を見て、気を引き締めることがあるそう。そこに描かれたイラストは、飲食店でのアルバイト時代に一緒に働いていた人によるもので、お店を継いだときの決意が思い出され、原点に戻れるとのこと。そんな恒宏さんの姿を見て、初代マスターの笑顔も増えたそうです。

こうして親子で築き上げてきたお店

平日の昼時は近隣で働く人たちで、60席が埋まることも。

には、新しいメニューが増えていくにつれてお客さんも増えていきました。ランチ目当ての人、コーヒーや紅茶などで一息つきたい人。お店が混雑していても、現実の世界から違う場所にあるようなゆうらくでは、ゆったりとした時間を過ごせます。

懐かしい雰囲気を残しながら、そこに日々新しい風が吹き込まれる。店の灯りを絶やさないこと、それは〝理想の居心地〟というゆうらくの最高のメニューなのかもしれません。

◎ゆうらく

㊫東京都台東区浅草橋
1-2-10
㊎7:00～18:00、
土11:00～16:00
㊡第二、三 土・日・祝
☎03-3861-9570

ホットココア

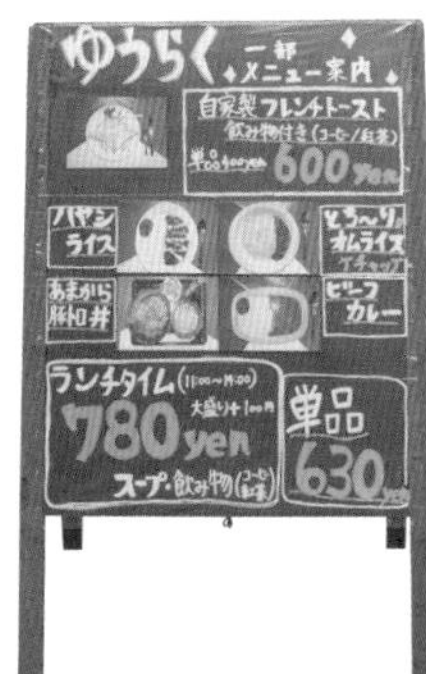

恒宏さんはこの看板を見て、初心を思い出し、気を引き締めるそう。

店外から店内を想像

店名のロゴなど、味わいのある佇まいのゆうらく。はじめて訪れる人は店内がどんな雰囲気なのか想像できないかもしれませんが、手描きのメニュー看板からアットホームな印象を感じられます。そしてお店に入れば、お店の方の笑顔で迎えられ、くつろぎの時間を過ごせるのです。

SALON DE CAFÉ

サロン・ド・カフェ

始まりはアイスクリームソーダ。
そして、どこから見ても美しいパフェへ

どんな時代にも、大人も子どもも思わず笑顔になる「アイスクリームソーダ」。喫茶店をはじめ、デパートの食堂や洋食店、近ごろでは居酒屋などでも注文できるほどの人気メニューです。そんなアイスクリームソーダが生まれたのは、創業100年を超える、「資生堂パーラー」の前身「ソーダファウンテン」でのことなのです。当時から銀座の同じ場所で、大勢の人を迎え続けています。

その歴史は、1872年、日本初の洋風調剤薬局である「資生堂薬局」にさかのぼります。

創業者がアメリカのドラッグストアでソーダ水を提供しているのを見たのがきっかけで、ソーダ水の機械、ストローなどの備品を含めた一式を輸入し、薬局の一角に「ソーダファウンテン」のコーナーを設置。日本初のソーダ水と、まだ珍しかったアイスクリームの製造販

イチゴが主役のパフェは、どの角度から見ても美しい。

—資生堂パーラー 銀座本店 サロン・ド・カフェ—

ストロベリーパフェ

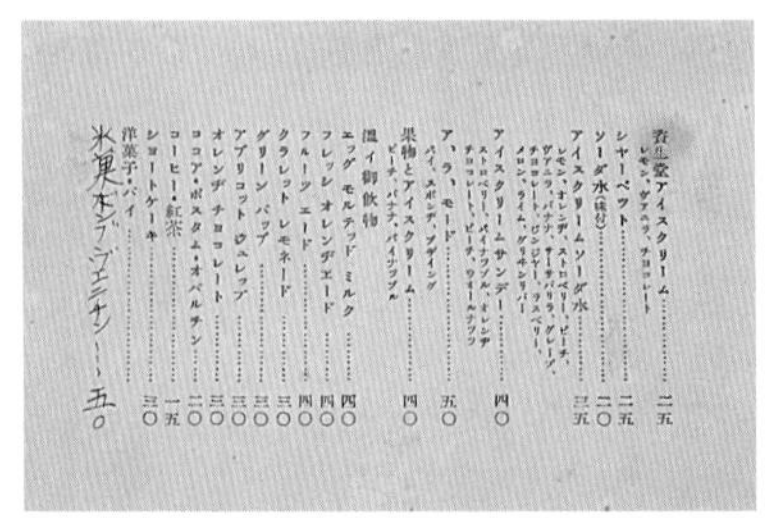

資生堂アイスクリーム……二五
レモン、ヴァニラ、チョコレート
シャーベット……二五
ソーダ水（[illegible]）……二〇
アイスクリームソーダ水……三五
レモン、オレンヂ、ストロベリー、ピーチ、ヴァニラ、バナナ、サーサパリラ、グレープ、チョコレート、ジンジャー、ラスベリー、メロン、ライム、グリキンリバー
アイスクリームサンデー……四〇
ストロベリー、パイナップル、オレンヂ、チョコレート、ピーチ、ウォールナッツ
ア、ラ、モード……五〇
パイ、スポンヂ、プディング
果物とアイスクリーム……四〇
ピーチ、バナナ、パイナップル
温イ御飲物
エッグ モルテッド ミルク……四〇
フレッシ オレンヂエード……四〇
フルーツ エード……四〇
クラレット レモネード……三〇
グリーン パップ……三〇
アプリコット ウェレップ……三〇
オレンヂ チョコレート……三〇
ココア・ボスタム・オベルチン……二〇
コーヒー・紅茶……一五
ショートケーキ……三〇
洋菓子・パイ……

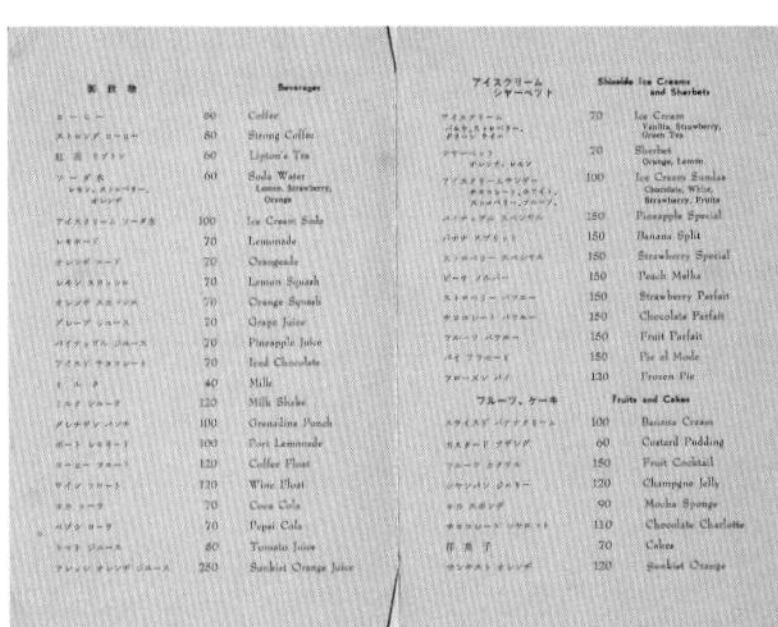

	Beverages
80	Coffee
80	Strong Coffee
60	Lipton's Tea
60	Soda Water Lemon, Strawberry, Orange
100	Ice Cream Soda
70	Lemonade
70	Orangeade
70	Lemon Squash
70	Orange Squash
70	Grape Juice
70	Pineapple Juice
70	Iced Chocolate
40	Milk
120	Milk Shake
100	Grenadine Punch
100	Port Lemonade
120	Coffee Float
120	Wine Float
70	Coca Cola
70	Pepsi Cola
80	Tomato Juice
250	Sunkist Orange Juice

アイスクリーム シャーベット	Shiseido Ice Creams and Sherbets
70	Ice Cream Vanilla, Strawberry, Green Tea
70	Sherbet Orange, Lemon
100	Ice Cream Sundae Chocolate, White, Strawberry, Fruits
150	Pineapple Special
150	Banana Split
150	Strawberry Special
150	Peach Melba
150	Strawberry Parfait
150	Chocolate Parfait
150	Fruit Parfait
150	Pie al Mode
120	Frozen Pie

フルーツ、ケーキ	Fruits and Cakes
100	Banana Cream
60	Custard Pudding
150	Fruit Cocktail
120	Champagne Jelly
90	Mocha Sponge
110	Chocolate Charlotte
70	Cakes
120	Sunkist Orange

上：1928年ごろのメニュー表。パフェがなくアイスクリームサンデーが載っている。下：1959年のメニュー表。この年にはパフェもある。価格を見ても歴史を感じられる。

売を始めたのです。現在のフレーバーはレモンとオレンジのほか、月替わりとなる季節限定のものも。1903年発行の「ジャパンタイムス」で「20バラエティズ　アメリカンソーダウォーター」と紹介されていることから、創業当時は種類が多かったよう。

アイスクリームは、毎朝、専用の小部屋で作られ、コクがありながらも、「水いらず」といわれるほど、さっぱりとした後味なのが特徴です。自家製シロップをソーダ水で割り、その上に創業当時からのレシピに準じて作られた伝統のバニラアイスクリームが盛られます。「空気を含んでふんわりまったりとしている自家製アイスクリームは、食べるときに固すぎるとすくいにくく、柔らかすぎるとすぐにソーダ水と混ざってしまうので、温度管理に気をつかっています」と語るのは、飲理長・橋本和久さん。

モダンな空間に品のある装飾。テーブルの花は週2回変えられ、お客さんも楽しみにしているという。

また、1959年のメニューに登場するストロベリーパフェも、今では幅広い年齢層に人気の一品です。イチゴにも並々ならぬお店の思い入れがあり、飲理長自らが可能な限り産地まで探しにいき、全国からそのとき一番おいしい希少な品種を取り寄せているのです。夏と秋には専用ハウスで採れる長野県の「恋姫」などを使用しているそう。「どの角度から見ても美しく見えるように盛りつけにも気を配っています。そして伝統のバニラアイスクリームと相性のよいイチゴを選び仕立てるのです。正しい食べ方などはなく、どのように召し上がっても最後まで楽しんでいただけるように考えています」という飲理長の言葉通り、その見た目にはうっとりと見惚れるほどで、ひと口ごとにこぼれる笑顔を止められません。そして、「お祝いごとで来る人、たまたま通りかかった人、ここを目指してはじめて訪

アイスクリームソーダ
（レモン／オレンジ）

陽が差し込み、鮮やかに佇むアイスクリームソーダの姿。テーブルクロスに映り込む影までも美しい。

れる人……、お客さまそれぞれに思いがあります。おいしいものを提供するだけではなく、来てよかったと思っていただけるように、スタッフ全員が一つとなって努力しています」という飲理長の言葉が印象的でした。

舌やおなかだけでなく、心も満たすおもてなし。「ここで過ごす時間と空間の演出を大切にする」という理念からは、老舗であることに甘んじず、これからも銀座の大切な存在であり続けることが容易に想像できるのでした。

◎資生堂パーラー　銀座本店
サロン・ド・カフェ

㊎東京都中央区銀座８－８－３
東京銀座資生堂ビル 3F
㊒11:30～21:00（L.O. 20:30）、
日・祝～20:00（L.O. 19:30）
㊡月（祝日の場合は営業）
☎03-5537-6231（予約不可）

パフェができるまで

飲理長の手によって生み出される
見た目・味・雰囲気よしの
パーフェクトデザート

―資生堂パーラー　銀座本店　サロン・ド・カフェ―

イチゴはそのとき一番
おいしいものを
厳選して使用しています

1 イチゴのソースの上に自家製のバニラアイスクリームを乗せる。

2 さらにイチゴのソースを重ねる。

3 ホイップクリームを一周乗せる。

4 ストロベリーアイスクリームを乗せ、さらにその上にイチゴソースをかける。

5 イチゴを王冠のように盛りつけ、ホイップクリーム、トップのイチゴを乗せて、粉砂糖をひとふり。

COFFEE 西武

果物やアイスクリームがグラスからはみ出た“メガパフェ”の迫力に圧倒される

大都市・新宿の喫茶店の代表格ともいえる「珈琲西武」。訪れたことがない人でも、メディアで頻繁に紹介される、尋常ではないボリュームのパフェやプリン・ア・ラ・モードを目にしたことがあるのではないでしょうか。1964年に創業の珈琲西武は、新宿のど真ん中で200席以上の広さを有し、常に賑わっている人気店です。

喫茶空間は2階と3階で、1階入口のガラスケースが目印。そこにはメニューサンプルがずらりと並んでいて、これから過ごす楽しい時間を想像させてくれます。

2階の扉を開けて、まず視界に入るのが、バラが舞う茶色の絨毯や真っ赤なベロアの椅子、2階のレジの上には流れ落ちてくるように吊り下げられた輝くシャンデリア。レジの横にあるピンク色のダイヤル式電話からは時折「リリリーン」という懐かしい音が響きます。

色とりどりのものがトッピングされた姿は、まず目で味わえる。

フルーツパフェ

2階席の中央の天井にある年代もののステンドグラスに目を奪われる。年代は新しいが3階にもある。

3階は全席禁煙で、打合せや会議に使用できる個室が併設されています。

こうした豪華な内装は「非日常を提供する」というお店のコンセプトの表れ。壁に貼られたイラスト入りのメニューポスター、黒と白で統一されたクラシカルな制服を身にまとった店員の方、テーブルに置かれた銀色のトレーやステンレスデザインのシュガーケース、瓶のソルトケースなどが、昭和の時代へタイムトリップしたかのように感じる気持ちをより強めてくれます。

また、ゆったりとした席が用意され、クラシックやジャズがBGMとして流れます。街路樹を眺められる窓際の席は、新宿駅から徒歩1分という現実を忘れさせてくれるほど、自分だけの時間を楽しむことのできる空間です。

豊富なメニューの中でも一度はその姿を自分の目で確かめてほしいのが、8種類あるパフェシリーズ。特にフルー

窓からの陽光、店内の至るところに設置された照明など、さまざまな光が店内を包む。

ツパフェはテーブルに運ばれてくると、周囲の席から視線が集まるほどで、その豪華さは噂以上。グラスの底にはメロンシロップ（イチゴの場合もあり）、その上にアイスクリームとホイップクリーム、さらにコーンフレークで土台を固め、リンゴ、ナシ、オレンジ、メロン、キウイ、ピーチ、ミカン、バナナ、パインなどの果物（季節により変わる）が惜しげもなく、さらにラズベリーやイチゴポッキー、今にも倒れそうなコーン付きのアイスクリームが大胆にトッピングされているのです。横から見ても真上から見てもフラワーアレンジメントのようにフォトジェニックで、食べるのが惜しくなってしまうほど。とてもボリュームのある一品ですが、いつの間にか食べ終わってしまう人が多いそう。さっぱりしたヨーグルト味のシャーベットをはじめ、ひと口ごとに味の変化があるのがその理由です。

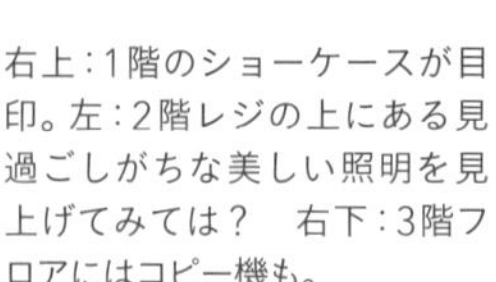

右上：1階のショーケースが目印。左：2階レジの上にある見過ごしがちな美しい照明を見上げてみては？　右下：3階フロアにはコピー機も。

パフェと一緒に注文したい飲み物は、やはりコーヒー。やわらかい口当たりと豆の芳醇な香りを感じられます。もし、ステンドグラスの下の席に座れたなら、カップの水面に映った鮮やかな模様を眺めるのがおすすめです。

「昔からあったものは可能な限り残していきたいです。その一方でWi-Fiや電源の利用など、時代の流れを反映した新しいサービスも取り入れています」という店長・山口さんの言葉に、これからもこの空間が新宿のオアシスであり続けてほしいと願うのでした。

◎珈琲西武

㊟東京都新宿区新宿３-３４-９
メトロ会館２Ｆ
㊓7:30〜23:30、日祝〜23:00
３Ｆの営業時間は上記と異なる。
㊡無休
☎03-3354-1441

幻想的なコーヒーの姿

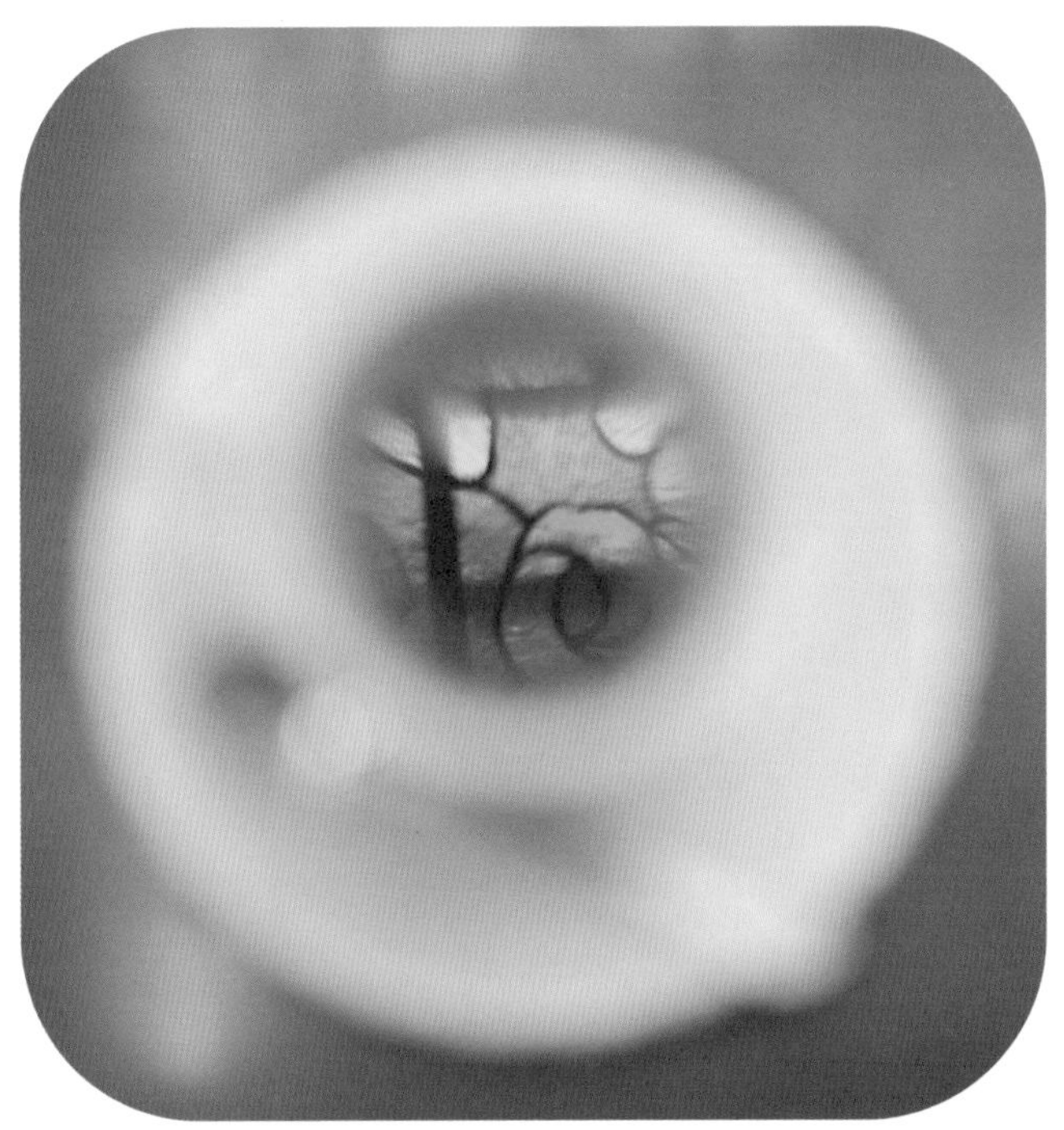

豆の香りが漂うブレンドコーヒーは、味が濃く、ほどよい苦みがある。

天井にあるステンドグラスの光が、コーヒーの水面に映り込む。

名曲・珈琲
新宿らんぶる

地域文化財のヨーロッパ風店内で食べる、日によって形を変えるパフェ

平日、休日、昼夜問わず混雑の絶えない街、新宿。買い物途中にひと休みしたくとも、駅の近くは満席のお店ばかり……、と思っている方は多いと思いますが、新宿駅から新宿三丁目へ行く途中の地下に、巨大な喫茶空間が広がっていることはご存じでしょうか？それは、創業67年を誇る喫茶店「らんぶる」です。

1階は20席ほどで一見小さな喫茶店のようですが、地下に降りると約200席もの広大な空間と思わず息を飲む大きな階段。店内は過去に3度改装しており、現在は、地域文化財になっています。「昔の日本人がイメージした外国のカフェ」をコンセプトに造られたそうです。

お店は現在三代目をつとめる重光さんの祖父と祖母が始め、重光さんは、子ども

チョコレートパフェ

のころに父親とよく訪れていましたが、自分が働くとは考えもしていなかったそう。ところが、大学院に通っていたころに祖父が亡くなり、「この場所を失くしたくない」と思い、その後、二代目である叔父、叔母に支えてもらいながらお店に立っています。先代から「街の文化は喫茶店から生まれる」といわれたことがあり、その言葉を心に掲げて日々奮闘しているそうです。

最近の「レトロブーム」もあり、店内はこれまでの客層に加え、若い女性や外国人観光客で賑わっています。その中で注文が多いのがチョコレートパフェ。創業時のメニューはコーヒー、ココア、紅茶などの5、6品のみでしたが、現在の建物になったとき、「ゆっくりくつろいでもらいたい」という思いから数が増え、パフェもその一つでした。「意外にも男性の方の注文が多いんです。ノスタルジックな見た目な

1階と地下をつなぐ階段。椅子は何度か張り替えているがデザインは昔と同じ。以前はオレンジ色だった。床の装飾もエレガント。

ので、子どものころの憧れがよみがえるのかもしれませんね」と重光さん。

現在10個しかない当時のパフェグラスの中には、アイスクリーム、生クリーム、コーンフレーク、バナナ、缶詰めのミカン、サクランボが入り、上からはチョコレートソースがかけられています。興味深いのは、曜日によって作る人が違うため、パフェの盛りつけに個性が出るということ。違いを見極められるようになったなら「らんぶる通」を自称していいかもしれません。

通といえばもう一品。メニュー表には載っていないミルクセーキです。バニラアイスと牛乳をベースに、グラニュー糖を溶いて作った特製ガムシロップで味を調整します。生卵を使用していないので、一般的なものよりのど越しがすっきりしていて、食感はふんわり。裏メニューですが、注文があれば提供してくれるそうです。

三代目店長の重光さん。

「待ち合わせ場所でも、休憩でも、仕事の打合せでも、おしゃべりでも、いろんな人たちが集まって、それぞれがくつろげる場所であり続けたいです」

店長・重光さんにとって、喫茶店は家族の原点であり、愛着のある場。このエリアは同業種間の仲もよいそうで、街と店と人のつながりがあります。らんぶるは、移り変わりの激しい繁華街のオアシスとして、これからも「らんぶるの灯り」を点し続けてくれるに違いありません。

実は建物の裏にも出入口がある。

◎**名曲・珈琲 新宿らんぶる**

㊎東京都新宿区新宿３－３１－３
㊔9:30〜18:00（L.O. 17:00）
㊡元日休
☎03-3352-3361

ミルクセーキ

違う作り手による盛りつけの個性を楽しむ

材料や量、盛りつけの順は同じだが、作り手によって見た目が微妙に違い、それを楽しむのも乙。

三村さん（約1年勤務）のパフェ。

車井さん（約4年勤務）のパフェ。

長澤さん（約4年勤務）のパフェ。

※2018年7月時点の情報です。

コラム❶

素朴だけど隠れた名物甘味

見た目華やかなメニューだけでなく、あまり知られていないメニューを知ったときの喜び。一口でその瞬間が訪れる逸品を紹介。

ドーナツ

珈琲専門店エース（P.96）

市販のドーナツをトースターで温め、穴の部分にバターを入れ、シナモンシュガーを振りかけた、オリジナルの味。

平均律（P.152）
ホットビスケット

（P.152）

店主の有賀えりささん手作りの焼き菓子。その日によって内容は変わる。「今日は何があるかな？」と訪れるたびに楽しみに。

パーラーキムラヤ（P.34）
コーヒーゼリー

少し大人な味わいを楽しめる一品。アイスコーヒーを使用しており、好みでシロップをかける。

洋菓子とパン

タカセ池袋本店（P.40）

1階にあるパン・洋菓子コーナーの商品は、コーヒーラウンジにも置かれている。テイクアウトして自宅で味わうのもおすすめ。

チーズドッグ

さぼうる（P.140）

カリッ、サクッとした皮の食感に、チーズのほのかな塩気が特徴の逸品。小腹が空いたときにおすすめのメニュー。

プリン・ア・ラ・モード

パーラー キムラヤ
KIMURAYA PARLOUR

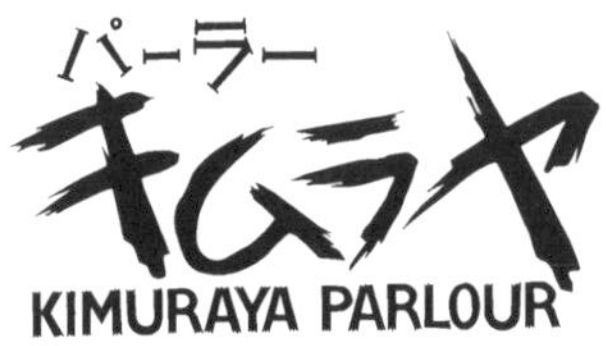

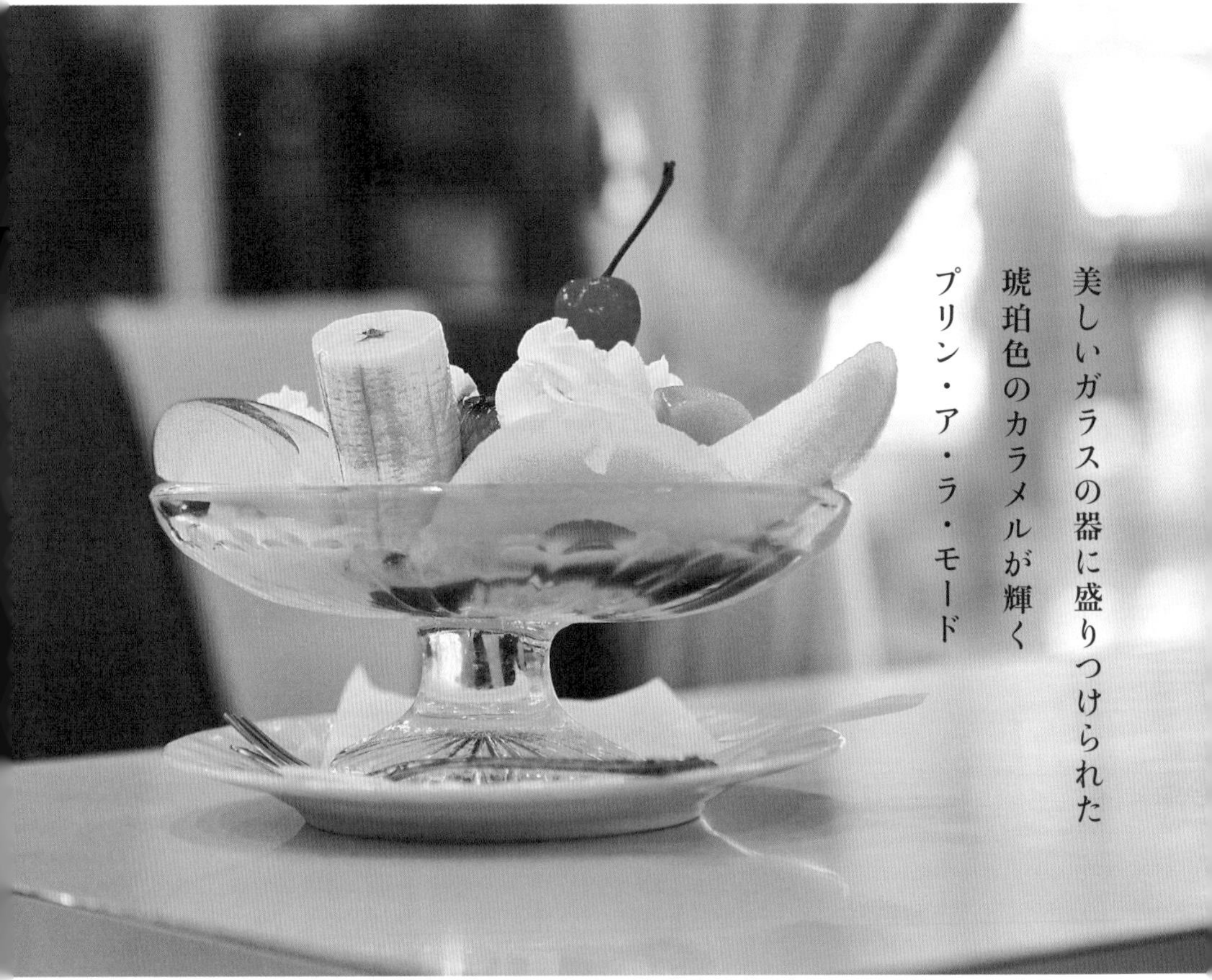

美しいガラスの器に盛りつけられた
琥珀色のカラメルが輝く
プリン・ア・ラ・モード

プリン・ア・ラ・モード

—パーラーキムラヤ—

老若男女問わず、あまくておいしいものを好きな人は多いにもかかわらず、外ではイメージを気にされるのか、あまいものを注文する男性をあまり見かけないような気がします。しかし、JR新橋駅近くのとある喫茶店では、満足そうな笑顔を浮かべてプリン・ア・ラ・モードやパフェなどを召し上がるスーツ姿の男性を頻繁に見かけます。

「パーラーキムラヤ」は、新橋駅前ビルができた1966年創業。二代目店長の和田さんが4歳のときでした。お店に訪れることもあったそうで「おいしそうな食品サンプルを触るのが好きでしたね」と和田さん。大学を卒業した後、テレビの制作会社での勤務を経て、30年ほど前から母、姉、従業員の方たちと一緒に働くことになりました。毎朝5時半には仕込みのために店に立っているそうです。

店内には2名用と4名用のテーブル

店外にあるメニューサンプルのショーケース。

が13個並んでいます。中央に置かれている船の木製オブジェは、なんと、常連さんによる手作りで、隣の大きな水槽は、釣りが好きだった和田さんの父親である先代の影響です。

同店で圧倒的な人気のメニューが、プリン・ア・ラ・モードです。美しさに歓声が上がることもあるガラスの器は、二宮クリスタルの「バナナサンデー」という商品。職人の引退で製造が終了してしまい、現在店にあるのは7台のみ。サイズは大中小で、バナナサンデーに

は中を、単品のプリンには小を使用しています。1台ずつ微妙に角度が違い、手作りならではの温かみがあります。

「何年も、何千個作ってもプリンのでき栄えは型から出してみないとわからないですね。材料は卵と牛乳と砂糖のみ。よいプリンの基準はカラメルの透明感と奥行き感です。ただ、琥珀色が何層にもなるベストな状態にできるのは、年に数回ですね」

そんなプリンを囲むのは、アイスクリーム、ホイップクリーム、一つひとつカットされたバナナ、メロン、ウサギの形のリンゴ、パイナップル、ミカン、モモ、サクランボと豪華。こんなに美しいメニューですが、和田さんは意外にも自分で作ったこのメニューを食べたことがないそうです。

「味見はしますが、プリン・ア・ラ・モード一皿全部を食べたことはないですね。1回で9個しか作れないので、私が1

船の木製オブジェを近くで見ると、その精巧さに驚く。

コーヒーゼリー

個食べてしまうとお客さん一人が食べられなくなってしまいますからね」

常にお客さんのことを第一に考えているパーラーキムラヤ。飲み物や料理の味、店の雰囲気、和田さん一家のおもてなし……。一日中、老若男女で賑わっている秘密は、これらすべてがまるでプリン・ア・ラ・モードのように、ぎゅっと詰まっているからかもしれませんね。

◎パーラーキムラヤ

㊖東京都港区新橋２-２０-１５
新橋駅前ビル１号館B1F
㊟7:30～22:00、
土11:00～17:30
㊡日・祝
☎03-3573-2156

半世紀以上もプリンのそばにずっといたフルーツ

バナナ、メロン、リンゴ(うさぎ)、パイナップル、ミカン、ピーチ、サクランボが、プリン・ア・ラ・モードの定番フルーツ。

プリンはスプーンですくっても形が崩れない!

タカセ

大正時代から池袋の街とともに発展
街を見下ろしながら食べるプリンアラモード

東京で第2の乗降者数を誇る池袋駅の地下には多数のお店が並び、はじめて訪れた人は迷路に入ったかのような感覚になります。駅を出るとデパートや商業施設が密集し、常に大勢の人が。そんな喧噪から離れてひと息つきたいときは、「タカセ」がおすすめです。

1階がパンと洋菓子の販売、2階が喫茶室、3階がレストラン、9階がラウンジのタカセビル。「洋菓子　喫茶お食事」と描かれた昭和を感じさせるデザインの看板は街のトレードマークのようで、手土産に最適なクッキー缶には東郷青児氏の絵が描かれていることでも知られています。

1920年創業のタカセは、現在、常務である森さんの母親が三代目。そのころは銀座の木村屋のあんぱんが評判で、池袋にはパンを売る店が少なかったことから、森さんの曾祖父がパンを販売する「森商店」として開業しました。

プリンアラモード

当初は食品メーカーと連携していたそうですが、その後、独自の経営方針を決めたときに、創業者の出身地が香川県にある高瀬町だったことから、現在の店名になりました。創業者はパンや洋菓子づくりの経験はなかったそうですが、職人と一緒にさまざまなメニューを考案しました。そんなメニューの一つが、「プリンアラモード」。プリンは板橋にある工場で、昔ながらのレシピで1日に100個作られています。バニラの香りが強いのが特徴で、上品な味わいのため飽きることはありません。自家製の生クリームも同様です。

また、おもしろいのが和のスイーツ

メニュー表の絵は東郷青児氏。2階には絵画が飾られている。

9階のラウンジの店内。なお、2階は喫茶室。3階はレストラン。

左：9階のラウンジの扉。楕円形の窓ガラスから店内が見える。下：3階レストランのショーケース。ここにもあまいものが。

もあること。あんぱんはいつの時代も人気で、小豆から煮て作ったオリジナルのあんこが詰まっています。これを使用した「クリームあんみつ」や「おしるこ」も見逃せません。

あまいものによく合うコーヒーもオリジナル。先代がコーヒーメーカーに豆の配合を依頼した独自のブレンドは、粗めに挽いて贅沢な量を使用。1杯500円という価格をどう感じるかは人それぞれですが、9階からの眺望を堪能できる広々とした店内で、あまいメニューと一緒に味わうのは値段以上の価値があります。贅沢な空間でゆったりとした時間を過ごすこと、それは喫茶店の醍醐味です。さらにオリジナルの紙ナプキン、東郷青児氏のイラストを使用したマッチ、洋菓子やパンのお土産など、楽しみは他にもたくさん。「自家製のものを提供し続けていきた

ブレンドコーヒー

いと考えています。子どものころからお店を継ぐことは意識していました。『温故知新』という言葉が好きです。創業者から築き上げてきたものがあってこその今。伝統を大切にしつつ、新しさを知ることも必要だと思います」と森さんはいいます。9年前にオープンした東京・巣鴨店ではパンの食べ放題という新しい試みも行っています。

初詣客のために元日から店舗も工場も稼働しているタカセ。街の象徴である憩いの場として、これからも人々を迎え入れていくことでしょう。

◎タカセ池袋本店
コーヒーラウンジ

㊎東京都豊島区東池袋1-1-4
タカセセントラルビル9F
㊬11:00〜19:30(L.O. 19:00)
1、2、3階は上記と異なる。
㊡無休
☎03-3971-0211

池袋 タカセ

―温故知新―
老舗を守る者の想い

常務の森さんは物心がついたころから毎朝、自社のパンを食べ、お店を継ぐことは自然に意識していたようだ。祖父（二代目）から創業90年の歴史をじっくり聞き、手作りの魅力を感じるようになる。

「製造をひと通り勉強しました。商品が命なんです」と森さんはいう。

また地域に密着したお店であることも大切にしている。池袋は、今でこそさまざまな商業施設で賑わっているが、昔はデパートはなく、喫茶店もなかった。そんな街でタカセは貴重な存在だった。今でも、平日はビジネスマン、休日は買い物客がくつろぐ場所となっている。

「常連さんに支えられている当店は、伝統を守ることが何よりも大切ですが、今だからこそ始めなければならないこともあると思うんです」

現在、タカセは本店のほかに、東池袋店、南池袋店、板橋店、巣鴨店がある。巣鴨店には、ハーブ入りのパンなど新商品を置いている。また外国人観光客向けのメニューも今後考えていくそうだ。

池袋の街の発展とともに成長してきたタカセ。広い空間でゆっくりくつろいでもらいたいという先代からの思いをしっかり受け継ぎ、さらに発展を遂げようとしている。

▼自家製のあんを使用。2階で提供していたところお客さんの要望で9階のメニューにも加わった。

クリームあんみつ

ヘッケルン

サイズ、まごころ、味
すべてを感じられるジャンボプリン

「こんなに何度も通う大切な店になるとは思っていなかった」とは、自分の正直な気持ちであり、他の人からもよく耳にする台詞です。それは、ジャンボプリンとマスターの魅力に惹き込まれてしまう喫茶店「ヘッケルン」の話。

一度見たら忘れられない笑顔の持ち主、森マスターは、格式高いレストランで10年間修業した後、レストラン開業の願いを持ちながらも資金が足りず喫茶店を始めました。74歳（2018年4月時点）を迎えましたが、その年齢をまったく感じさせないパワフルさ。「常連さんとの約束を裏切れないからね」と、始発で店に向かい、仕込みをして8時の開店に備えます。これを50年間、しかも定休日以外は休んだことなし。バイク事故で肩を骨折したときも医師の抑止を振り切ってお店を開け、お客さんとの約束を守りました。

そんな森マスターと同じくらい人気

—ヘッケルン—

ジャンボプリン

なのがジャンボプリン。一般的なものの2・5倍はあろうかと思われるサイズです。

「俺の店は小さいから、他の店と差別化を図れるような名物を作ろうと考え、このプリンが生まれた。飲食業界は競争社会だから個性がないとダメだよね」

この味の虜になった人は数知れず、店内ではBGMのように「ジャンボプリン」と注文する声が飛び交います。そして森マスターは、一日の流れを感覚でつかみ、プリンが品切れにならないよう、常にその声に応えます。

「よそには真似できない、つやつやぷるぷるの18歳の肌のようなプリンを作るぞって、気合が入るね」と冗談を飛ばす森マスター。特にプリンの固さについては試行錯誤したそう。卵の手触りでその状態がよくわかるそうで、火加減が重要とのこと。ヘッケルンでは通常の卵ではなく、特別な赤い卵を使

お客さん一人ひとりと向き合う森マスター。提供するものすべてに愛情を注ぐ。

用しています。

「卵にも個性がある。これはコシが強いとか弱いとか。粘りが強いほうが固まりやすい。手間暇を惜しまず、命をかけて作らなかったらおいしいものはできない。それが私の役目だからね」

つやつやと光るカラメルへのこだわりもたっぷり。1時間かけて煮詰め、ぶくぶくと泡立つとろりとした液体になり、「ここだ！」と思ったところで火を止めます。数秒遅れてしまうだけで、苦みが強くなってしまうそう。

「プリンはお母さんの味なの。外であまいものを注文しにくい男性も、本当は大好き。だからうちで食べて、母の味を思い出してほしいんだよね。一つひとつに『つるつるねー』とか『かわいいねー』と心の中で呟きながら作っているよ。赤ちゃんに話しかけるみたいにやさしくね」

そんな森マスターの味を求めて、足

店内にある「寝ないで下さい」の貼紙は、居心地のよさに居眠りするお客さんへのメッセージ。

レモンジュース

コーヒー

繁く訪れるお客さんたち。
「常連とは店に訪れる回数ではない。たとえ年に1、2度でもヘッケルンを目指して来てくれた人たちは常連だと思っている。『おいしかった』といわれると、自然に『ありがとう』という気持ちになれる、この触れ合いこそが人生なんだよ」
一つひとつ、一人ひとりとの時間を大切に紡いでいくヘッケルンを訪れたなら、心も体も癒やされ、前向きな気持ちでお店をあとにできるはずです。

◎ヘッケルン

㊔東京都港区西新橋
1-20-11 安藤ビル1S
㊎月～金8:00～19:00
土(第二土曜日を除く)
8:00～17:00
朝食営業
㊡日・祝・第二土曜
☎03-3580-5661(予約不可)

50年使い続けるマスターの包丁

50年前の開店からずっと使い続けている包丁は、パン、果物、野菜、魚など素材によって使い分ける（喫茶メニュー以外の料理をすることもある）。切れなくなってから研ぐのではなく、切れるうちに研ぐ（写真左下は紙で切れ味を証明しているところ）のが店主・森マスターのスタイル。週に数本ずつ3回程度、50年間研ぎ続けてきたため、刃は短くなり、先端は鳥のくちばしのような形になっている。

HOTEL NEW GRAND

「ザ・カフェ」

異国文化を取り込み発展した洋食
横浜で産声を上げたプリン・ア・ラ・モード

喫茶店のメニューと聞かれて多くの人が思い浮かべるのは、「プリン・ア・ラ・モード」や「ナポリタン」ではないでしょうか？　これらのメニューは、かつて米国軍人たちであふれ、最先端の文化に包まれたハイカラな地、横浜にあるホテルが発祥とされています。

1927年開業のホテルニューグランドは、多くの人が「一度は泊まってみたい」と思う憧れの老舗ホテル。その本館1階に「ザ・カフェ」があります。以前にホテルのレストランで提供していたフランス料理をはじめとする伝統料理もこちらで食べられます。それは、初代料理長だったサリー・ワイル氏が日本に持ち込み、日本人シェフが継承したもの。ナポリタン、ドリアなどが有名なもので、その一つにプリン・ア・ラ・モードもあります。

現在ではプリン・ア・ラ・モードの器といえばこちら、というほどイメージ

本館2階にはロビーと宴会場がある。写真はロビー。

プリン・ア・ラ・モードの盛りつけ方

プリン・ア・ラ・モード

1

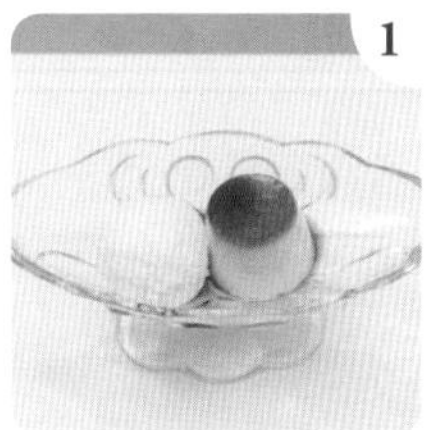

コルトンディッシュ（器）に、プリンとアイスを乗せる。

2

キウイ、オレンジ、リンゴ、サクランボ、プルーンを乗せる。

3

生クリームをしぼり、ミントを添えて完成。

店内はゆったりとしたレイアウト。装飾一つひとつに老舗ホテルの格式を感じる。

が定着した「コルトンディッシュ」。元々前菜を盛るためのものだったそうですが、同店がこの器をプリン・ア・ラ・モードのために使用し、それが徐々に広まり、他店でも活用されるようになりました。

しっかり冷やされた器には、プリン、アイス、生クリーム、キウイ、オレンジ、リンゴ、缶詰のサクランボ、伝統のレシピでよく煮込まれたプルーン、ミントの葉が美しく盛りつけられています。

主役のプリンの素材はシンプルでありながら、室温、窯の状態などを考慮し、日々焼き加減を調整しながら手作りしています。スプーンですくうと感じられるしっかりとした固さ、卵の風味が特徴で、粘度が重要だというカラメルの苦みは弱めでプリンに寄り添います。

生クリームは、五分立てにしたものを提供する前に泡立て直しているため、ふわっとした口どけ。横浜が発祥とされるアイスクリームの材料の配合は20

年前から変わらず、専用の部屋で製造されています。ちなみに「アロー（弓矢）カット」と呼ばれる切り口のうさぎの形をしたリンゴもこちらが発祥です。

　また昔から根強い人気のアップルパイは、サクサクのパイの中にシャキシャキのリンゴがぎっしりと詰まっていて、クリームとの相性もよく、シナモンの香りが味わいを高めます。「リンゴの密度を大切にしていて、なるべく薄くしたスポンジ生地はリンゴのうまみを包む役割に。日々、微妙な調整をして、毎回自信のある味を提供しています」と、こちらも日々作っている原田シェフ。希望があれば温めてもらうことも可能だそうで、温かいパイと冷たいアイスクリームのコントラストを楽しめるアップルパイア・ラ・モードもおすすめです。

　店内は席間が広く、大きなテーブルもあって老若男女問わず、観光客、地元からのお客さんたちがくつろいでい

ホテルの目の前は緑と海が開ける。

アップルパイ ア・ラ・モード、アップルパイのほか、レモンパイ、シュークリーム、各種ケーキなどが豊富に揃う。

原田シェフ

ます。「お子様や家族連れが気軽に入店でき、親しみがもてる空間」をコンセプトにした同店は、カレーも人気メニューで、それを目当てとした人たちで連日込み合って席が空くのを待つことも。ホテルの建築や館内の装飾を眺めていると、あっという間に時間が過ぎてしまうので、待ち時間も楽しみの一つです。

横浜の港散策を楽しんだ後のこちらでのひと休みは、その日をさらに優雅な気持ちにしてくれるに違いありません。

◎ホテルニューグランド
「ザ・カフェ」

㊎神奈川県横浜市中区山下町１０
ホテルニューグランド本館１Ｆ
㊮10:00〜21:30
（L.O. 21:00）
㊡無休
☎045-681-1841

重要文化財に触れ、目から癒やされる

横浜　ザ・カフェ

　古く重厚な佇まいを見せるホテルニューグランドは、1927年に開業。本館は銀座和光などを設計した渡辺仁氏によるもので、クラシックホテルの代表格とされ、国内外の著名人も多く利用した。2007年には、経済産業省が選んだ近代化産業遺産の認定を受け、映画、テレビドラマの撮影場所として、また横浜のランドマーク的な存在として、今もなお存在感を放っている。新館を建てる際に、本館を大改修したが、2階のロビーと宴会場は当時のまま。この大改修の際に、中庭も改修し、今では2階ロビーや中庭は宿泊者以外も自由に出入りできるようになっている。また館内にはSOGOショップがあり、ニューグランドのオリジナル商品（衣類、小物、食品など）を購入できるのもうれしい。

　横浜港の風を感じ、歴史的建築物と装飾を観賞し、「ザ・カフェ」であまいものと飲み物、また、食事を楽しむ。異空間での時の流れは、ホテルニューグランドならではこその魅力といえよう。

▼本館建物に加え、ロビーや結婚式場、宴会場は1927年開業時と変わらぬ佇まい。ロビーや中庭は一般開放している。

中庭を散歩コースにしている近隣住民もいる。

コラム❷

マッチコレクション

昔と違って喫茶店は禁煙・分煙が増え、マッチを置く店は減った。お店の特徴や歴史が表れているマッチは集めたくなってしまうもので、それを眺めているだけで楽しい。

タカセ（P.40）

鮮やかな水色がアクセントカラーとなったデザイン。表面が手描き風でカタカナの店名表記なのに対し、側面はアルファベットの店名表記。興味深いのは裏面が東郷青児氏の絵になっていること。

※フロアによって禁煙、分煙あり

コラム❷・マッチコレクション

珈琲専門店 エース（P.96）

メニューやノベルティなどは、店を切り盛りするマスターが手作りしているが、実はこのマッチも。何も描かれていないマッチ箱を購入し、そこにデザインプリントした紙を貼っている。

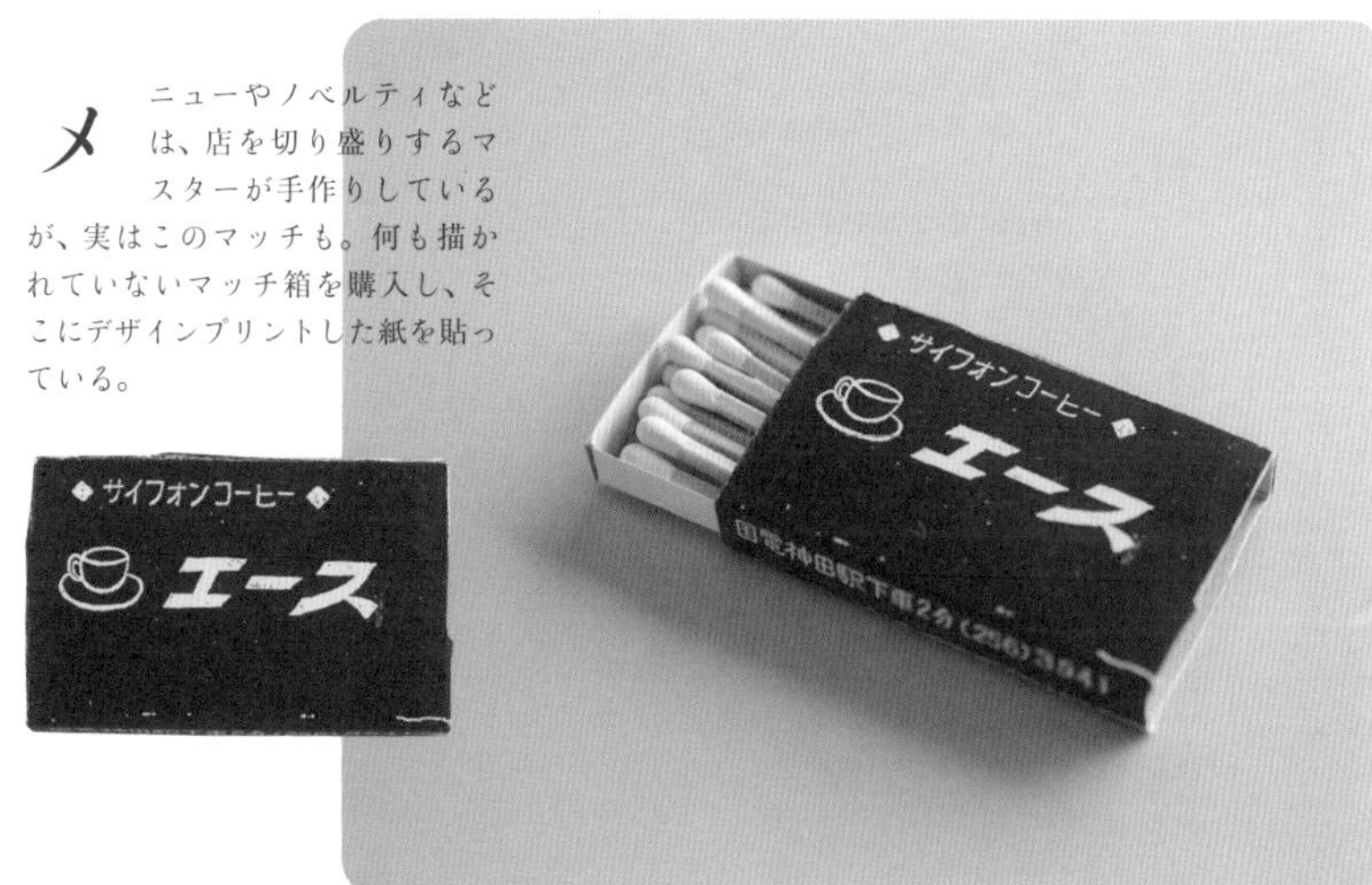

紅鹿舎（P.86）

表面はアルファベット表記で店名が印刷されている。裏面は漢字で毛筆風の書体。箱タイプではなく、喫茶店では珍しい折りたたみタイプのデザインだ。

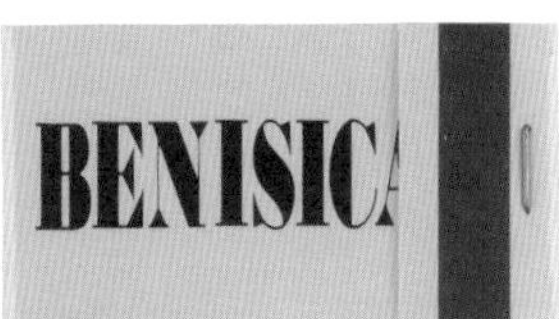

※分煙あり

プチモンド（P.102）

ピンク色が鮮やかな表面には、独特の書体で店名が記載されている。「coffee」と「fruits」の文字が並ぶのもこのお店らしさ。裏面には果物店だったことの名残が。

フルーツ
セキモト

※分煙あり

平均律（P.152）

現在お店を構える学芸大学店ではマッチは置いていない。以前、原宿で営業していたころの貴重なマッチ。表面に記載された「珈琲と絵画とバロック音楽」のフレーズは、現在も店内で感じられる。

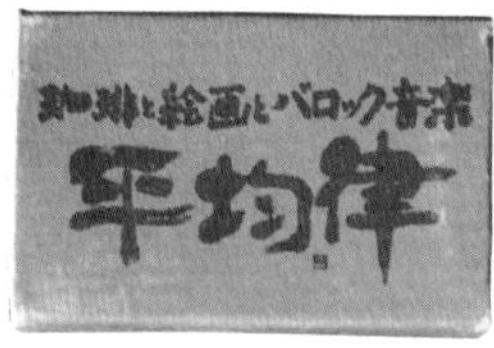

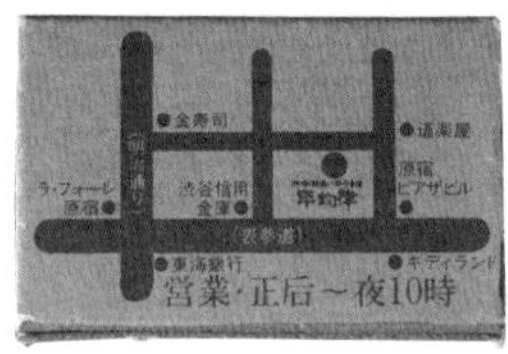

※全席禁煙

ピノキオ（P.74）

茶系でまとめられたカラーデザインは、コーヒーを連想させる。表面には愛らしいキャラクターイラストが。文字だけを見ても表と裏で違った個性を感じられる。

※分煙あり

ホテルの歴史資料とともに展示されたマッチ

｛ホテルニューグランド「ザ・カフェ」（P.52）｝

1927年開業の老舗ホテルとあって、パンフレットや案内冊子など歴史資料は多数。それらは2階ロビーのショーケースで展示されているが、その中にはマッチも（時期によって展示がない場合もある）。

※禁煙

ホットケーキ

ニット

分厚さはお客さんへの気持ちの表れ
爪楊枝の刺さったホットケーキ

飲み物やデザート以外でも、ナポリタン、カレー、オムライスのような喫茶店の代名詞ともいえるメニューはたくさんあります。近年は、こういった食事メニューの中でホットケーキの存在感が強くなってきているように思います。大きさ、形、トッピングはお店によってさまざまでそれぞれ魅力的ですが、幼いころに絵本で見たような、バターとメイプルシロップだけで食べる、分厚くてシンプルな味わいが恋しくなることがあります。

夜になるとネオンの輝きに包まれる街、錦糸町の一角に「ニット」はあります。前身がメリヤス工場だったことから「ニット」と名づけられ、木造の建物で営業を始めます。そして約45年前に同じ場所にビルを建てました。現在は近隣の方だけではなく遠方からもたくさんの人が訪れています。目的の一つは、驚くほど分厚くて美しいホットケーキ。

「その昔、静岡県の伊東にあった店のホットケーキを真似て出すようになりました。当時は今の半分くらいの厚さだったんだけど、『お客さんに喜んでもらいたい』って、どんどん分厚くなっていったの。なかなかきれいに焼けなかったから、セルクル（丸い型）を使って焼くようになったんです」と、二代目店主の小澤民枝さん。

注文を受けてから20分以上かけてじっくりと焼かれるホットケーキは、表面がカリッとしていて、中はふんわりしているのが特徴。ナイフで一口サイズに切り分けて、まずは何もつけずに味わい、次はバターを溶かして、その後に氷糖みつというシロップのようなものを好きなだけ染み込ませて食べるのがおすすめ。口に運ぶたびに違った味わいがしてうれしくなるのです。

味以外にも興味深いのが、バターに刺さっている爪楊枝。

ホットケーキ

茶色のソファ、暖色の照明による、落ち着いた店内でくつろげる。

「お客さんが会話をしている間にバターがすべってホットケーキの表面からつるっと落ちちゃってね。そうすると、皿の上で溶けてしまって見た目がよくないでしょう？　それで爪楊枝で刺して安定させたの。他のお店がどうかはわからないけど、もしあったとしてもニットが最初じゃないかな」

長い間、ニットを支え続けてきた調理場の二人の男性スタッフ、白いシャツと黒いパンツの制服に身を包み、素敵な声でもてなしてくださる三代目店主の兼松雅昭さん、そして、焼き立てのホットケーキみたいに艶やかでにこやかな二代目店主の小澤民枝さんと娘の兼松早苗さん。ホットケーキのおいしさは、ニットの温かな空間があってこそかもしれません。ちなみにホットケーキと一緒に、レモンティーを注文する人が多いそうです。

飲み物やデザートも充実しているニッ

ト。もしお腹が空いていたり、複数人で訪れたら、ホットケーキが焼き上がるまでの時間に、ナポリタンを食べるのもおすすめ。銀色のトレイで提供される太麺は絶品です。かに雑炊やおにぎりセットなど、珍しいものもあるので、メニューを見ながら楽しんではいかがでしょうか。

レモンティー

◎ニット

㊖東京都墨田区江東橋
4-26-12
㊮9:00〜20:00、
日・祝〜18:00
㊡指定の日・祝
☎03-3631-3884

右から三代目店主の兼松雅昭さん、二代目店主の小澤民枝さん、二代目の娘・兼松早苗さん。

創業時（約50年前）のメニューは五つくらいしかなかったらしい。コーヒー、紅茶、パフェ、ミルク、昆布茶。人気を博すホットケーキよりも先にメニューに加わったフルーツポンチは、当時はハイカラなデザートで、子どもにとっては特別なものだった。「昔ながらの」という言葉をつい使いたくなってしまうが、ニットのフルーツポンチは、いつ食べても新鮮な気持ちにさせてくれる。

フルーツポンチ

ワンモア

我が子を育てるように目を離せない
絶妙な火加減で焼かれたホットケーキ

焼き上がるまで逐一
火加減を調整する。

「好きなホットケーキの店は?」と聞かれたら、多くの人がこの店名を挙げると思われる「ワンモア」。メディアで取り上げられてからというもの、開店時間のずっと前から、多くの人が今か今かと扉が開くのを待っています。

1971年の創業からお店を守り続けるマスターの福井さんが喫茶店を始めたのは、「それはもうコーヒーが好きだから。あとは、これ以外にできることがなかった」というのが理由。続けて「そのころ喫茶店というのは、コーヒー、紅茶、ミルク、トーストがメインメニューだった。気の利いた店ではホットケーキを出したりもしていたけれど。『ナポリタンが喫茶店の定番メニュー』になったのはわりと最近の話だよ」と笑います。

順風満帆な人生を物語るような笑顔ですが、実はこれまで紆余曲折の連続でした。それは日本自体が変革の時期

ホットケーキの生地は材料を
混ぜて、缶に入れられている。

だったともいえます。

「当時はお砂糖も簡単には手に入らなくてね。今では『ブラックで飲むのがいい』って人が多いけど、グラニュー糖なんて喫茶店じゃないと手に入らないから、おじさんたちは大量に入れていたよ。それに深煎りコーヒーにはあまいミルクがよく合うんだよ」

また、渋谷にあった喫茶店「ロロ」の支店である「マウンテン」で働いた経験もあり、食材の仕入れ先などは、マウンテンの支配人に教えてもらったそうです。

「多くの喫茶店で経営が困難になってきたころ、モーニングサービスを始めるなど、客の取り合いが激しくなってね。『うちは卵がつきます』、『サラダがつきます』ってサービス合戦になった。マウンテンは最後までそれをやらなかったけれど、著名人たちがオブザーバーとしてついてくれて、どんどん有名になっ

ホットケーキは銅板でじっくり焼かれる。他店のものに比べて薄めのため、口当たりがよい。

ていった。ロロもマウンテンも、残念ながら1964年の東京オリンピック前にはなくなってしまったんだけどね」と昔を懐かしむ福井さん。

「マウンテンのホットケーキは鉄板で焼いていたんだけど、何百人も店員がいた中で、僕が一番上手だった。でも、ホットケーキは焼き上がるまで目を離せないから仕事の流れが止まってしまう。だからホットケーキの注文があると『受けてくるな！』ってウエイトレスをわざといじめるのよ（笑）」といいながら、現在、一緒に働いている娘さんのほうに視線をやるマスター。

「彼女は火にこだわるんです。僕は横着だから焼き始めるとぼーっと見てるんだけど、彼女は途中で何回も火を見る。だからでき上がりがすごくきれいなんだよ」

とても仲のよいご夫婦と娘さん。そんなアットホームな雰囲気の中で食べ

るホットケーキの味が格別なことにも納得です。

時間と愛情をたっぷりに大切に焼かれるホットケーキ。「手間はかからないから」と福井さんは謙遜しますが、おいしくなるように魔法をかけられたホットケーキをひと口ほおばれば、足繁くお店に通う人々の気持ちがわかるはずです。

◎ワンモア

㊖東京都江戸川区平井5-22-11
㊗9:30〜16:30(L.O. 16:00)
㊡日・月
☎03-3617-0160

クリームソーダ

お店に入って左側にあるグリーンのソファ席。

右上：ホットケーキ
左上：コーヒー（ブレンド）
下：フレンチトースト

PINOCCHIO

注文を受けてから材料を混ぜて焼く
夢のように分厚いホットケーキ

東武東上線・大山駅から少し歩くと閑静な住宅地となります。アクセスがよいとはいえない場所ですが、遠方からも足を運ぶ人が絶えない喫茶店があります。「地域に根づいて誰でも覚えやすいように」という理由で名づけられた「ピノキオ」は、1974年から、この街の重要な場所でありました。

かつて近隣には印刷関係の会社があり、住民に加え、そこで働く人たちがよく訪れていました。しかし、時代が変わって企業の撤退が続き、それにともなって常連さんも減っていきました。そんなときに救世主になったのが、今では約95％のお客さんが注文するというホットケーキです。当時近くに住んでいたマジシャンのマギー司郎さんが、テレビで「行きつけの店のホットケーキ」と紹介したことが人気の引き金だったそうです。

「これがなかったらとっくにお店をや

カウンターは常連さんの特等席。ゲーム機の席は、昔は大人にも子どもにも大人気だった。

めていたかもしれませんね」と笑うマスターは、ホットケーキ目当てに遠方から大勢が訪れても、常連さんたちがいつでも座れるようにカウンター席を空けて待っています。

火つけはテレビでしたが、誕生したのは、お店によく遊びに来ていた小学生の言葉がきっかけでした。

「共働きで家に親がいない子どもたちが、ここで親の帰りを待っていることがよくありました。そのうちの一人の女の子から『お母さんは忙しいから、代わりにホットケーキを作ってほしい』といわれて作り始めました」

マスターはかつて渋谷や新宿にあった「ロロ」という有名な喫茶店で働いていて、そこでホットケーキの作り方の基礎を学びました。ただ「他の店にはないものを」という思いから独自のものを開発。トースト用に設置していた銅板で焼くホットケーキは、注文が

アイスココアやオレンジジュースはシェイカーを振って作る。

オレンジジュース

アイスココア

入ってから材料を混ぜることを徹底しており、生地は小麦粉にベーキングパウダー、砂糖、卵1個、牛乳のシンプルな材料。強火2分、弱火5分、ひっくり返して2～3分という焼き方は、きれいな焼き色になるよう研究を重ね、7～8年の試行錯誤で生まれたものです。その美しさもさることながら、分厚さには何度見ても驚かされ、2枚が重なった光景に、食べることを忘れてしばし見惚れてしまいます。バターにシロップをかけてひと口ほおばると、なぜだか懐かしい気持ちに。

「この焼き方をマスターしたころにインターネットが普及して全国の人がこのホットケーキを知ってくれました。最近は写真を撮ってインターネットに載せてくれるお客さんも多く、口コミで広めてくださるんです」というのは、マスターと一緒にお店を守ってきた奥さん。お店の窓から見える下校中の小

窓の形や大きさがそれぞれ違う内装。

学生を見て、また笑顔を浮かべます。そして、ホットケーキとともに、マスターがシェイクして作るアイスココアやオレンジジュースをお客さんに届けながら気の利いた言葉を送ります。

流行もののよさもありますが、自分が幼いころに食べた馴染みの味は、心に染み込んでいます。こうやって思い出深いものが定番として残っていくのだろうと、しみじみ感じ入るホットケーキでした。

◎ピノキオ

所東京都板橋区大山金井町16-8
営8:00〜18:00(L.O. 17:00)
ランチ営業、日曜営業
休水・木
☎03-3974-9336

―喫茶物語―　夫婦でこの街と共に

板　橋

ピノキオ

マンションの1階にあるピノキオは、小学校が目と鼻の先にあり、店の前を登下校する子どもたちも顔見知りだ。下校中の子どもが腕に包帯を巻いていると、奥さんは「どうしたの」とお店を出て話しかけるようなことも。ホットケーキの誕生のきっかけになった少女は現在別の場所で暮らしているが、時折お店を訪ねてくることもあるそうだ。

　マスターは27歳でお店を開いた。その前までは他の喫茶店で働いており、奥さんはその店のお客だったそうだ。ピノキオを開店すると、奥さんも一緒に働くことになる。夫婦共通の趣味は海外旅行。特に海が好きで、オセアニアの島やアフリカの島に旅をした。現在は移動に疲れるということで海外旅行はできていないが、新年を迎えるたびに、「今年1年もがんばれそうだ」と夫婦で意思確認をし、営業を続けている。

▲マスターはカウンター、奥さんはホールを主に担当。自身の体調を管理しながら、この街の憩いの場を守る。

　この場所でお店を長く続けていくためにも、夫婦揃って食事や就寝、起床の時間を決め、体調が崩れないように徹底しているそうだ。

珈琲家

噛むごとに味わいを感じられる
厚さ４センチのホットケーキ

オフィス街として発展した茅場町は、ビジネスマン以外の人にはあまり馴染みがない場所かもしれません。しかし、このエリアには憩いの場所がたくさんあり、「とんでもないほど分厚いホットケーキ」を提供している喫茶店もあります。

道路脇に「珈琲家」という看板があるビル。地下にあるためお店の様子がわからず不安になりますが、階段を降りて扉の奥の赤い椅子が目に入ると、わくわくした気持ちに変わります。

席に着き、水を運んでくれるのは、二代目マスターの加藤さん。以前はパン屋さんで働いていましたが、喫茶店を経営していた父親から「東上野に店を出すから」と誘われ、この世界に。喫茶店のノウハウを学び、現在のお店で初代から伝承したメニューを提供しています。その一つが直径７センチ、厚さ４センチほどのホットケーキ。この

ホットケーキの作り方

ホットケーキ
※ドリンクとのセット注文に限る。

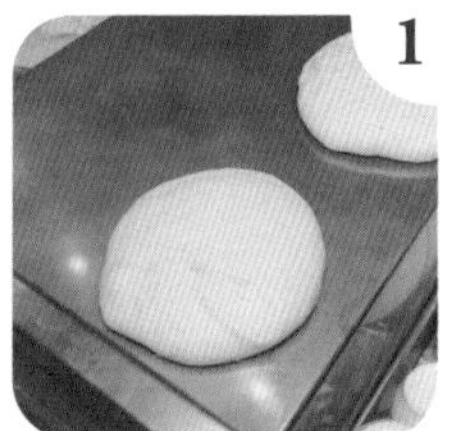

1 卵、砂糖、牛乳、薄力粉を混ぜた生地を銅板に流す。

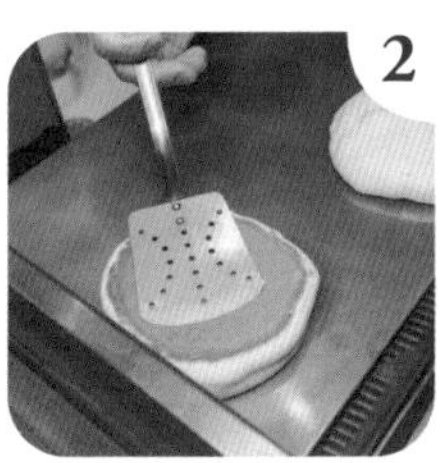

2 約30分、じっくり焼いて裏返す。

3 余熱で約2分焼き、側面を整える。

上で眠りたいと思うようなふかふかした見た目です。「型を使わないので、どんどん大きくなって」と笑顔の加藤さん。欲張って2枚注文してしまったなら、食べても食べても減らないボリュームにうれしいやら、驚くやらで、これまでにない体験になるでしょう。バターは大きな塊が2個ついています。

「少ないと思われたくないですから。お客さんが好みで調整できますしね」

バターは目分量だという加藤さんですが、焼き方は実に丁寧。熱の伝導が均一の銅板で30分ほどかけて焼くため、中までしっかり火が通り、表面は色むらがなくきれい。生地の材料は、卵、砂糖、牛乳、薄力粉とシンプルで、グルテンが出ないように注文が入ってからこねます。こうして手間ひまをかけることで、歯ごたえがあり、噛むごとに味わいを感じられるホットケーキが生まれるのです。

地下1階にお店を構える。入口にはコーヒー豆で作ったアートも。

「父と二人で営業しているときは終日提供していましたが、今は一人で手が回らないのでランチタイムは注文をお断りしています。一度に4枚しか焼けないので、それ以外の時間帯も待っていただくことがあります」

混雑する時間帯はまちまちですが、ゆっくり待つことのできる心の余裕も喫茶店の魅力です。それにホットケーキ以外にも魅力的なメニューはたくさん。毎朝4時半から仕込みをするという食事メニューはすべて自家製で、店名の通り、コーヒーの味は格別です。サイフォンで淹れられた1杯は、どれも香り高くコクがあります。また、メニューを見ると、「フランス風」「オランダ風」「アメリカ風」など楽しげな文字。これらはアレンジコーヒーで、例えばオランダ風は、ココアを混ぜ込

コーヒー豆で作った看板や、楊枝入れなどの小物類もお店の雰囲気作りに一役買っている。

オランダオーレ

んだ生クリームがコーヒーの上に乗ったもの。メニュー表にはそれぞれの説明が書かれていますが、直感で気になったものを注文してみるのもおもしろいかもしれません。

「昔ながらの味を提供することを心がけています。父の時代から来てくれるお客さんにも『おいしい』っていってもらえるように」と語る加藤さんの趣味は、銭湯巡り。温かい湯にじっくり浸かっているときと、ホットケーキを頬張るときの幸福感は、どこか似ているかもしれませんね。

◎珈琲家

㊎東京都中央区日本橋茅場町
1-6-2　桂昇ビルB1F
㊔10:00～17:00
㊡土・日・祝
☎03-3669-4560

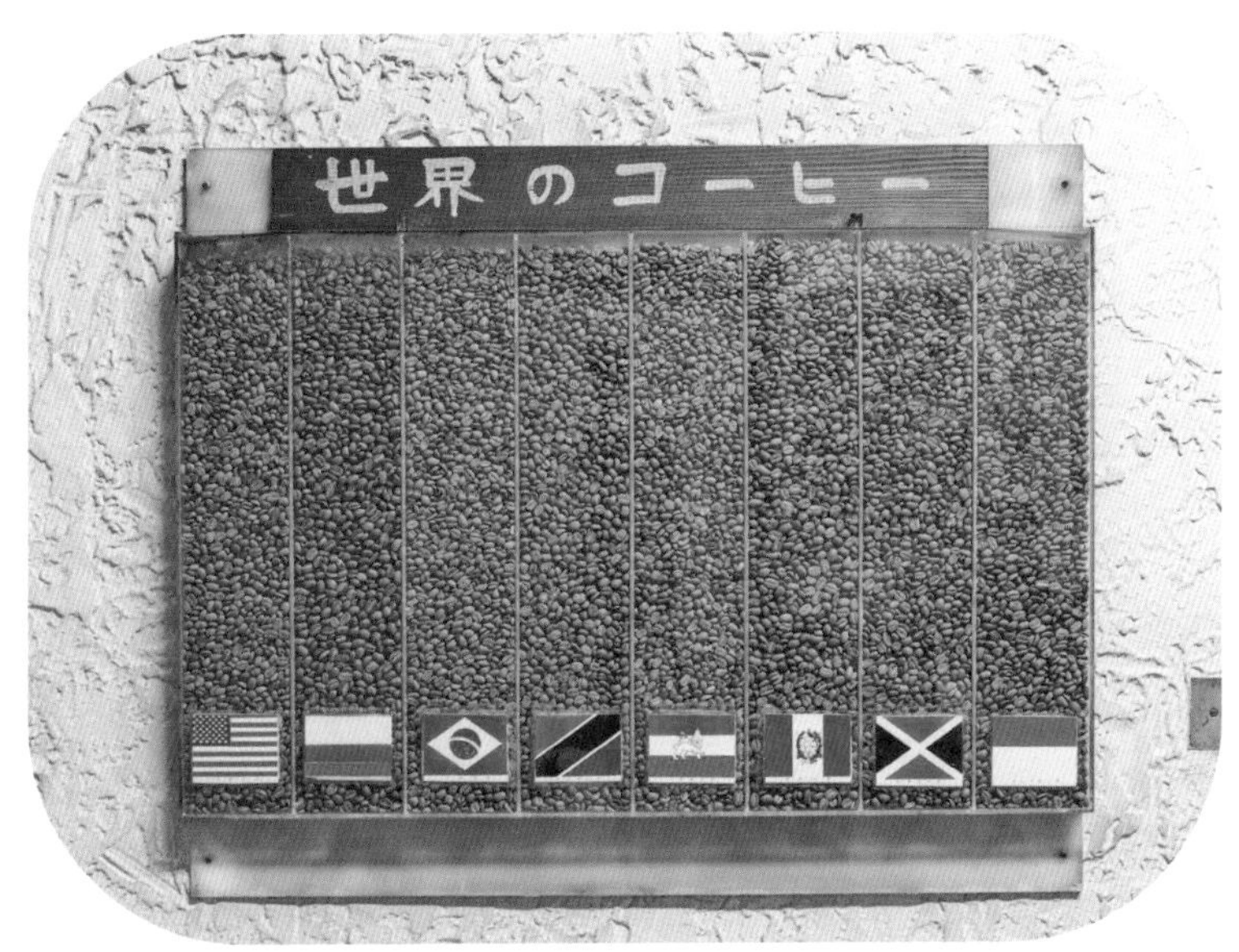

創業時のサイフォンを今でも使っています

世界各国の豆が揃う。ストレートやブレンドのほか、ウイスキー入りのアイルランド風や、シナモンの入ったイタリア風などのアレンジもある。

アレンジコーヒーの一例

フランス風（牛乳とコーヒー半々）
オランダ風（ココア入り）
アメリカ風（淺煎焙煎）
北欧風（ホイップクリーム入り）
イタリア風（シナモン入り）
アイルランド風（ウイスキー入り）

紅鹿舎

プリンとアイスクリームが一緒になった、遊び心が表れたホットケーキ

喫茶店でつい頼みたくなるピザトースト。日比谷にある「紅鹿舎（べにしか）」が発祥といわれています。もともと洋食屋としてスタートした同店は、15年前に他界された初代店主がコーヒーとあまいものが好きだったことから、現在の営業形態になりました。創業から60年、現在の場所に移店してからでも53年が経ちます。お店は初代店主の奥さんである村上さんが守り続けています。

近くに宝塚劇場があるため、店内はいつも観賞帰りの女性客で華やか。木の温もりのある雰囲気が特徴ですが、店名の「紅」や「鹿」に関連するものはどこを見渡しても見つかりません。

「洋食屋だったころジビエを出していたことがあったんです。鹿は漢方に使用されるほど体にいいもので、そこに華やかな色である赤色を『紅』にして名づけました」と村上さんから聞き納得。ピザトーストも洋食屋時代からあった

プリンクリームホットケーキ

現在の店舗になってから内装はリニューアルされているが、座席の配置は当時のまま。

のかと思いきや、こちらは喫茶営業に変わってから生まれたそうです。初代店主と何か新しいものをと模索していた際、村上さんの好きなピザを自宅にある材料で作れないかと考え、パンを生地に代用したピザトーストを思いつきました。そのころピザは、イタリアンレストランに行かなければ食べることのできない料理でした。今ではさまざまな場所にあり、また家庭で作る人も多いピザトーストですが、当時はここにしかない、特別な食べ物だったようです。

このピザトーストと同じくらい人気なのが、数種類あるホットケーキです。その中でも珍しいのが、「プリンホットケーキ」。焼きたてふかふかのホットケーキの上に、カラメル入りのプリンを乗せ、アイスクリームで包み、ホットケーキをもう1枚乗せ、さらに黒蜜シロップをかけた夢のようなメニューです。米

柱や食材も店内の雰囲気を構築する一つの要素。

粉を使用したホットケーキはあまさ控えめですが、プリンやアイスクリームのあまみが加わり、カラメルの苦みが全体を引き締めて、幸せな味わいがいくつも同時に押し寄せるのです。

とにかくメニューが豊富なため、何を注文しようか迷ってしまいますが、「カフェタカラズカ」という一風変わった飲み物に目が止まります。円錐型のグラスには、ブルーキュラソーで色づけされた水色の砂糖と、固め仕上げの生クリームで作られたバラの花、カラフルなチョコレートスプレーが。そこにポットでコーヒーを注ぐと、生クリームのバラの花がクルクルと回り始めます。

「グラスの中を演劇のステージに見立てて、バラは演者が舞うところを表現しています。生クリームが溶けていく様子はスポットライトを浴びているところをイメージしたのです」

このロマンティックな演出は、初代

店主の考案によるもの。味はというと、砂糖のあまみとコーヒーの酸味でバランスがととのえられ、香り高く品を感じられます。

「これまでも今も無心でお店を続けています。毎日楽しく仕事ができたらいいなと思っています」という村上さん。

選ぶことが楽しくなるバラエティに富んだメニュー、粋な演出、会話と味に笑みを浮かべるお客さん、それを愉しげに見る村上さん。そんな幸せに満ちた店内は、これからもますます華やいでいくことでしょう。

◎紅鹿舎

㊢東京都千代田区有楽町
1-6-8　松井ビル1F
㊚9:30～23:45
（L.O. 食事23:00、
ドリンク23:30）、
【土・日・祝】9:00～同様
㊡無休
☎03-3502-0848

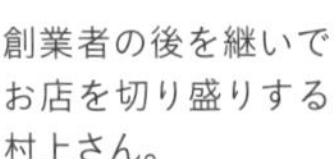
創業者の後を継いでお店を切り盛りする村上さん。

【横からのビジュアル】

舞台でスポットライトを浴びるカフェタカラズカ

カクテルグラスに、水色の砂糖、洋酒、生クリームを入れ、コーヒーを注ぐ「カフェタカラズカ」。生クリームがくるくる回ってバラの花の形になる様は、まるでステージで華を咲かせる女優のよう。目で楽しむのも一つの味わいである。

【上からのビジュアル】

コラム③

名物ホットケーキが生まれるまで

材料、調理器具、焼き方……、お店によってどれも違う。共通しているのは家庭では絶対に真似ができないこと。素朴な食べ物だからこそ、その店ならではの味がある。

ピノキオ・塩谷マスターのこだわり

銅板で焼くピノキオのホットケーキは、弾力やボリュームがあり、見た目が美しい。他店でも銅板を使用しているところはあるが、塩谷マスターの一番のこだわりは火加減。これを習得するのに7、8年はかかったそうだ。1974年の創業時からずっとつき合ってきた銅板から、ここだけのホットケーキが生まれる。

ピノキオの
ホットケーキの作り方

1

粉、卵、牛乳をボールでしっかりと混ぜる。卵は1人分1個、牛乳が少なめなので生地はしっかりしている。

2

銅板は一度温めて火を消す（生地がくっつかないコツ）。そこに生地を落とし、お玉を回しながら立体的に重ねていく。

3

今回は同時に4枚作る。すべての生地を銅板に流したら、強火にして約2分焼き、火を弱めて約5分焼く。

4

生地をひっくり返す。上から軽く押して側面の形を整え、2〜3分焼く。

5

側面を転がしながら焼く。形を整えるのと、火を少し加えるのが目的。

6

皿に乗せて、バターを添えれば完成。食べるときはバターを塗ってシロップをお好みでかける。

名店のホットケーキ写真館

珈琲家▶P.80

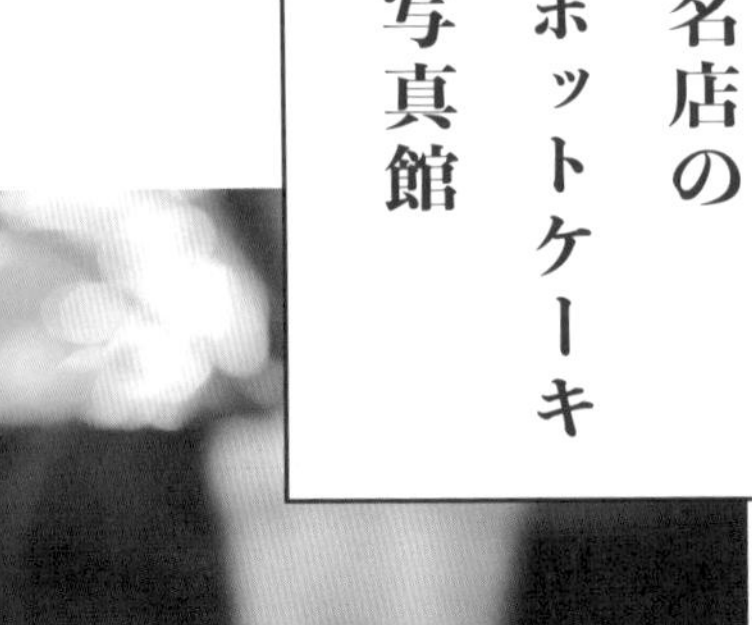
ニット▶P.62

ピノキオ▶P.74

ワンモア▶P.68

紅鹿舎▶P.86

フルーツサンド／トースト

エース

コーヒーの挽きたて香る店内で
心と胃袋を満たすクリームトースト

「のりトースト」という珍しいメニューで知られる神田の老舗珈琲店「エース」。オレンジ色のひさしと、手描きのメニュー看板がお店の目印です。扉を開けると、出迎えてくれるのは清水英勝さんと徹夫さん。お顔が似ていることからも推測される通り、兄弟です。

1971年に父親と四男の英勝さん、五男の徹夫さんで創業しました。当時会社員だった二人は脱サラをして「日本喫茶学校」に通い、喫茶にまつわる知識を得たそうです。

そのころは、100メートル歩くと50軒以上の喫茶店があったというほど、激戦区だった神田で店を開くにあたって、「この地域でやっていくには、個性や特徴がなければならない。コーヒーだけではなく、食べ物にも他とは違った特色を」と考え、幼いころ母

のりトーストをはじめ、パン類のメニューも豊富。

クリームトースト

親に作ってもらった海苔弁当にヒントを得て「のりトースト」を思いついたそう。焼き海苔に醤油、薄切りのパン、バターと馴染みのある食材ではありますが、不思議な組み合わせ。「一度は食べてみてほしいから」と驚くほどのお手ごろ価格で、実際に食べた人は誰もが笑顔になり、また注文したくなる味です。

あまいものがほしい人には、クリームトーストとドーナツもおすすめ。クリームトーストは、厚さ3センチほどの食パンを軽くトーストし、ホイップクリームとチョコレートシロップをかけたシンプルなもの。ウインナーコーヒーで使用している生クリームを他で活用しようと考案されました。乳脂肪分が40%を超えた品質の高い生クリームは、濃厚でありながらも食べ終わるまで飽きのこない味わいです。また、ドーナツは、市販のものをトースターで温め、

オフィス街・神田にて、ゆっくり休めるオアシス的な店内。

穴にバターを入れ、粒の粗いシナモンシュガーを振りかけたもの。そのままではなくトーストすることで外側がカリッとした食感になり、バターの塩気が味を引き締め、いくらでも食べられそうな魅惑的な味に。白いお皿にぴったりとおさまった二つのドーナツ。そのかわいらしい姿にも心がときめきます。両メニューとも多くの人がリピーターになるそうです。

あまいものに合わせたいコーヒーは、ブレンド5種、ストレート20種、アレンジ20種という豊富さ。コーヒー専門店をうたいながらも、実は紅茶のメニューも豊富で、これはすべてのお客さんに喜んでもらいたいというお店の気持ちから。英勝さんが特におすすめするコーヒーは、ゴールデンキャメルというカリブ海諸国の高級豆のフレンドで、苦み・酸味のバランスがよい1杯です。注文を受けてから1杯ずつ丁

清水マスターによる手作りのメニューが店内の至るところに。

寧にサイフォンで淹れられるため、雑味を感じず冷めてもおいしいのです。バターが入った「メキシカン珈琲」やココナッツとホイップクリームが入った「ハワイアン」など、少し変わったコーヒーもおすすめです。

常連さんにもはじめて訪れる人にも、分け隔てなく明るく接してくれる清水兄弟のお二人が、飲み物、食べ物を差し置いて、エースの一番の魅力ではないでしょうか。お二人の姿を見て、これからも変わらずに神田の街に灯りを点し続けてくれる存在でいてほしいと願わずにはおれません。

◎珈琲専門店 エース

㊡東京都千代田区内神田3-10-6
㊫月～金7:00～18:00
土7:00～14:00
朝食営業、ランチ営業
㊡日・祝
☎03-3256-3941（予約不可）

上：ブレンド
（ゴールデンキャメル）
下：ドーナツ

豆の種類を表示した札がコーヒーに添えられる。

―喫茶物語―
兄弟でカウンターに立つこと47年

神田 エース

▲右：清水英勝さんと、左：徹夫さん。五人兄弟の四男、五男で、父親と三人でお店を始めた。

夫婦で営むお店はあるが、兄弟で営むお店は珍しい。清水英勝さんと徹夫さんは、勤めていた会社を辞め、父親とともにお店を始めた。

お店にはさまざまなオリジナルメニューがあるが、これらは誰かが発案したというより、家族での会話の中で生まれたもの。そして、これまで兄弟喧嘩や親子喧嘩はなかったそうだ。二人とも結婚してそれぞれの家庭を持つが、兄弟仲は昔と何ら変わりない。

メニューが増えると、必然的に忙しくなる。主に英勝さんが調理を担当し、徹夫さんが接客をする。言葉少なくても意思は伝わり、二人の動きに無駄はない。それはまさに阿吽の呼吸といえよう。

プチモンド

宝石のような果物がつまった 旬を感じられるフルーツサンド

まるで笑っているかのように艶々で、どれも幸せそうに見える果物。マスターの関元さんと会話するうちに、その理由がわかったように思えました。下町の雰囲気が残る赤羽にある「プチモンド」は、もともと果物屋でしたが、二代目である関元さんが約45年前に、「好きなのに剥くのが面倒という人に果物を提供したい」という思いから、パーラーを併設させたそう。関元さんの身近なところには常に果物があり、幼いころはお店のりんご箱に入れられて、訪れるお客さんにあやされて育ったそうです。

旬のものを厳選し、お客さんの希望にできるだけ応えたいという思いから、さまざまなメニューを作れるように熟練した技術を習得。その中でも特に人気なのが「フルーツサンド」。生クリームはそのつど泡立てられたもので、果物を引き立てるためにあまさは控えめ。小さくカットされた宝石のような7～

イチゴ、メロン、
パイン、リンゴ、ナシ、モモ、
バナナ、オレンジ

フルーツサンド

いちじくをかわいくカット。関元さんの遊び心を感じられる。

8種の果物を一度に味わえるのが魅力です。食パン4枚分とボリュームはありますが、ペロリと完食できます。

創業時から変わっていないというメニュー表は赤と黒が背景で、食器は白色で統一。果物たちが主役でいられるよう、引き立つ配色を選び、まるで果物たちのブロマイドのようです。そんな目移りしそうなメニューから、すぐに目に飛び込んできた「メロンジュース」を注文。氷を細かく砕き、リキュールで香りづけされたメロンを丸ごとシロップにして、ミキサーで撹拌します。最後にまろやかさを出すためにフレッシュクリームを少し。口元にグラスを近づけるだけで、贅沢な香りにしばし目を閉じてうっとりです。

また、氷でキンキンに冷やされたグレープフルーツを、ラムシロップで漬けた「グレープフルーツセレクション」は、

サイフォンで淹れるコーヒーは、果物を生かすために、雑味のないすっきりとした味わいにしている。

写真つきのメニュー表。

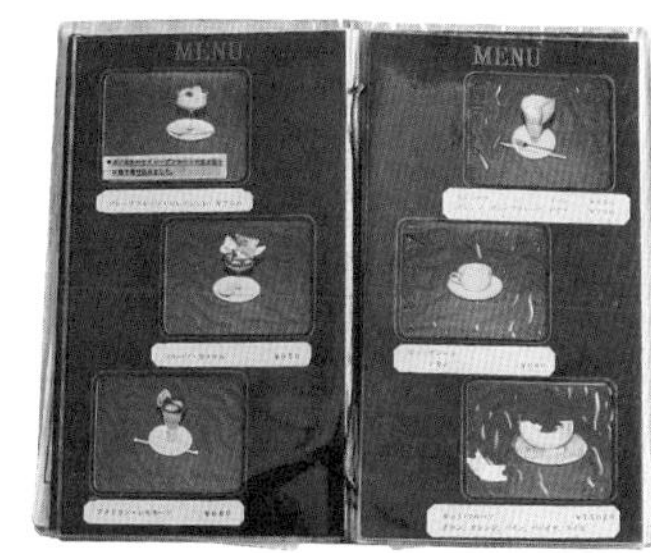

新鮮なゆえの瑞々しさ。あまみと酸味の両方を同時に感じられ、器に残ったジュースも舌をうならせられます。さらに人気の「あんみつ」は、注文を受けてから寒天をカットするので、食感がよく、天草本来の香りがします。あんこには栗が丸々1個入っており、黒蜜は果物にかけるのが関元さんのおすすめの食べ方です。

他にも冷や麦の上に6種類の果物を乗せた「フルーツ麺」という珍しいメニューも。これらすべては関元さんが独学で考案したもの。「果物が『こうしたら一番おいしいよ』と教えてくれる」と笑います。関元さんは、毎朝5時に市場に行き、自らが吟味したものを直接仕入れています。さらに、朝3時から仕込みをしているというのですから

—プチモンド—

グレープフルーツセレクション

生メロンジュース

頭が下がるばかりです。

　関元さんは「これ以上忙しくなると困りますね」といいながらも晴れ晴れとした笑顔。新聞の記事で「ピッコロモンド」という文字を見て、この響きに共鳴し、フランス語の「プチモンド」を店名にされたそうです。日本語では「小さな世界」という意味です。関元さんの城であるこの空間は、果物を通じて訪れる人たちをこれからも幸せな世界に連れていくのです。

◎プチモンド

㉄東京都北区赤羽台3-1-18
㊫10:00～16:00
㉁木・金
☎03-3907-0750

フルーツオールスター

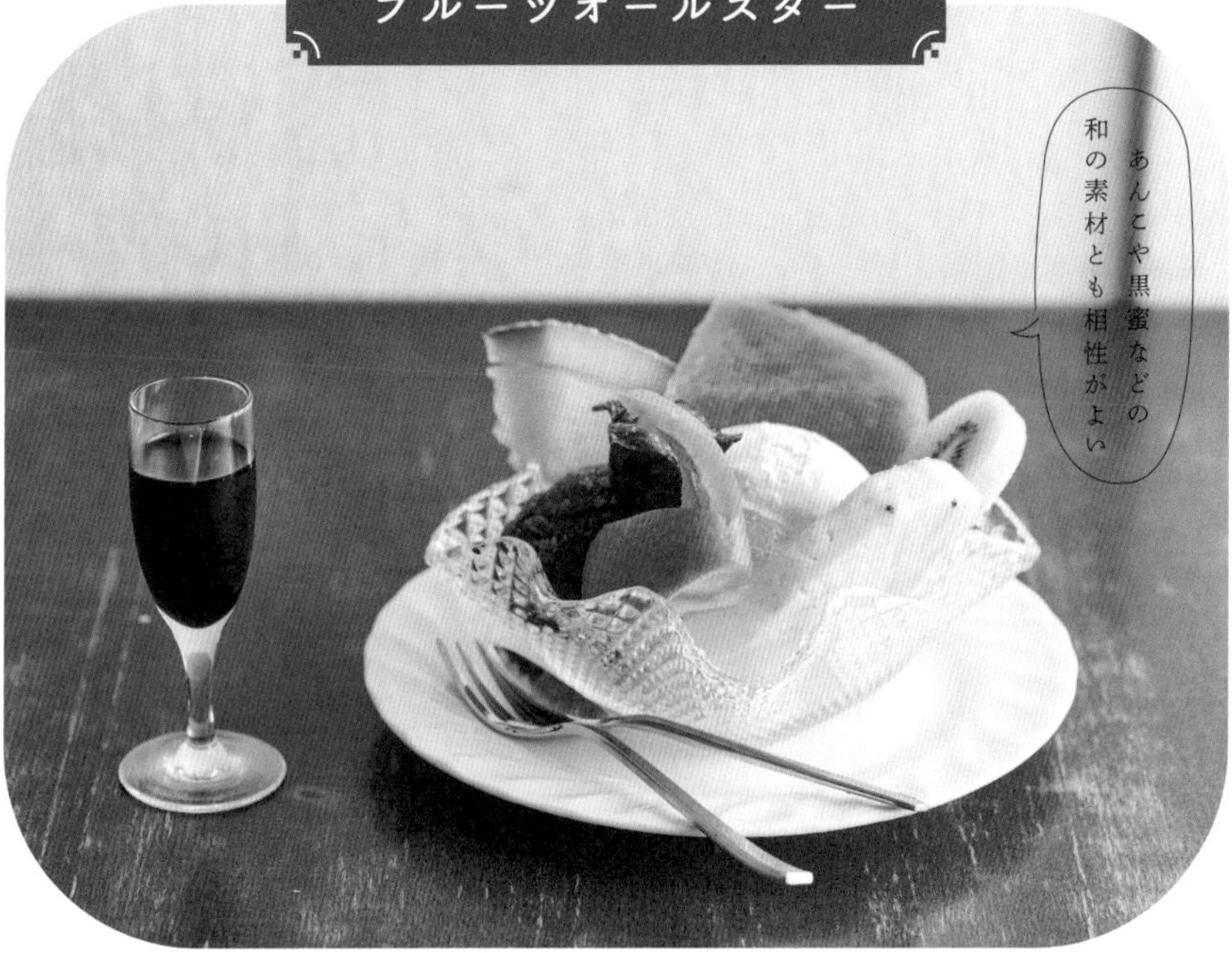

あんこや黒蜜などの
和の素材とも相性がよい

フルーツあんみつ　あんみつの果物は、キウイ、スイカ、メロン、パイン、オレンジ、ピオーネと豪華(※時季によって変更あり)。

店内に果物売場を併設。全面ガラス張りのため、その華やかな美しい光景に通行人はつい足を止める。

薔薇窓

BARAMADO

伝統メニューに季節感が加わった
イチジクが主役のフルーツサンド

日本を代表するデパートの髙島屋。その中でも歴史の長い日本橋髙島屋（1933年開店）は、重要文化財に指定され、外観のみならず、店内には美術館のような装飾が至るところで見られます。買い物はもちろん、展示や催し物を楽しんだら、喫茶室「薔薇窓」でひと休みを。

中2階という、少しわかりづらい場所にできたのは、30年以上前とのこと（記録にも残っていないそうです）。店名の由来も不明ですが、例えば、タカシマヤ友の会は「ローズサークル」、セレクトギフトは「ローズセレクション」など薔薇を名称に取り入れることが多いため、そこから名づけられたのではないかと推測されています。四季を問わず咲き、人々に愛されている薔薇をシンボルフラワーにしたいという思いが込められています。

そんな薔薇モチーフは、店員の制服

フルーツサンド(単品)
※季節限定メニューのため、時期によっては販売していません。また、内容が変わることもあります。

にも。白いシャツの衿元に縫いつけられたかわいらしい薔薇模様の刺繍に、思わず見惚れてしまいます。

また、薔薇窓は2016年11月にメニューを全面リニューアルし、新たな風を吹き込みました。人気のフルーツサンドも、1～4月ごろはイチゴ、5～8月下旬はマンゴー、9～10月にはイチジクと、その時季ならではの魅力が。取材にお邪魔したときはイチジクがおいしい季節でした。

白い皿、銀色の飾り紙に乗ったサンドイッチ。10枚切りのパン2枚で、クリームチーズを練り込んで少し塩気のある手作り生クリームと、瑞々しさで弾けそうな生のイチジクを包んでいるのです。添えられたヨーグルトには、はちみつに漬けられてうまみが凝縮されたイチジクとイチジクを漬け込んだシロップが入っています。さらにセットメニューにするとドリンクもつきます。

女性客が一人でも入りやすいように、きれいで明るく、席と席の間もゆったり。

店を切り盛りする松永さんは、「他にはないものを提供したいと考えています。例えば、他店では何種類かの果物を一緒に挟んでいますが、果物のうまみをしっかり伝えたいので、果物は一つに。パンやクリームは果物のサポート役です」といいます。果物ごとに生クリームの量を調節する細やかさは、目や舌の肥えたお客さんに満足していただきたいという、髙島屋ならではのおもてなしの精神でしょう。

フルーツサンドと相性のよいコーヒーは、専門スタッフが20～30種類の中から選んだもの。どのお客さんにも好まれるよう、酸味、苦みともに主張しすぎないものを選んでいます。また、メニューリニューアル時に登場して以来、特に女性の注文が多い「ハニージンジャー」は、はちみつに漬け込んだショウガスライス、レモン、クローブ、すりおろしたショウガが入った濃厚な1杯。

店内の至るところに薔薇モチーフが見られる。

ハニージンジャー

シロップの仕込みには砂糖や水をいっさい使用しておらず、ホットもあるので寒い日でも最適です。

「常連のお客さまが飽きてしまわないように、常に工夫して刺激のあるメニューでありたいと思っています。昔からあるミックスサンドもお客さまの声に耳を傾け、材料を変更することも。女性一人でも休んでいただけるように、明るい店内を心掛けています」

東京駅から徒歩圏内で、地下鉄のB2出口から直結している日本橋髙島屋。買い物のひと休みだけでなく、友人との久々の再会の場として、薔薇窓で話の華を咲かせるのも素敵ですね。

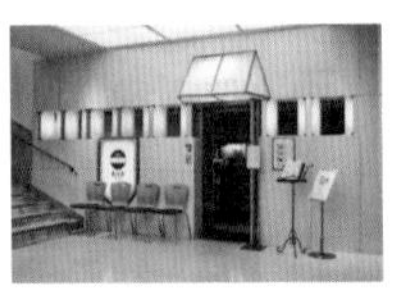

◎日本橋髙島屋　薔薇窓

㊒東京都中央区日本橋2-4-1
日本橋髙島屋中2階
㊡10:30～19:30
(L.O. 19:00)
㊭不定休
☎03-3211-4111

老舗百貨店の伝統のおもてなし

日本橋
薔薇窓

三層構造になっている髙島屋の建物は、1933年に竣工されたもの。その後増築を重ね、2009年に重要文化財に指定された。時代を超えて統一されたデザインは美しいのひと言である。

店内でも洗練された建築、装飾が至るところで見られる。その中でも特徴的なのがエレベーター。現在では珍しく専用のスタッフがいて、レバーを操作しなければ動かない仕組みとなっている。また、正面玄関入口にはコンシェルジュがいて、髙島屋の歴史、店内などの案内をしてくれる。お客さんへのおもてなしの精神は、開店当時から変わらず健在である。

買い物や店内巡りで疲れたら喫茶店でひと息。また店内の階段の踊り場に椅子が設置されており、薔薇窓でも入口の前で座って待つことができる。

商品の提供だけでなく、時間と空間を楽しむための気づかいこそ、老舗百貨店のおもてなしだ。

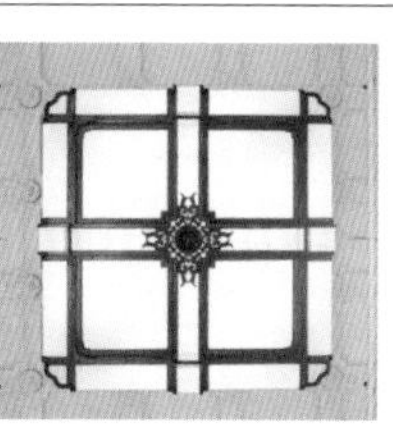

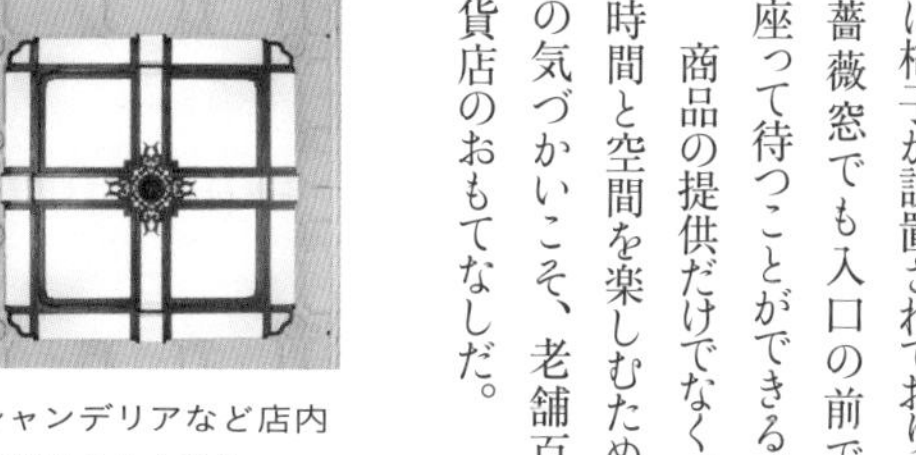

▲シャンデリアなど店内には装飾がたくさん。

▶髙島屋のマスコットキャラクター・ローズちゃんに、店内の至るところで出会える。

コラム④

店主の思う、純喫茶とあまいもの

創業から営み続ける、先代から継承する。
立場は違えども喫茶店を守り、
お客さんの居場所を
作っている店主の方々。
普段思うことを文字に表していただいた。

粋な階段を登る途中で、上の方から
珈琲の香りと「十二番街のラグ」が流れて来た
俺はいつか珈琲店を営業(やる)ぞ!!と強く思った
そして何とかこんな店を持った。そして今、
人間も店もレトロになってしまった。
でもメディアの力は本当に驚きだ 雑誌や
テレビ、新聞 それに関る人々のお蔭で若い
お客様もたくさん御来店下さるようになりました
皆様ありがとう「新レトロ」の店へどぞ

珈琲ワンモア
福井明

ワンモア（P.68）・福井さん

粋な階段を登る途中で、上の方から
珈琲の香りと「十二番街のラグ」が流れて来た。
俺はいつか珈琲屋を営業(やる)ぞ!! と強く思った。
そして何とかこんな店を持った。そして今、
人間も店もレトロになってしまった。
でもメディアの力は本当に驚きだ。雑誌や
テレビ、新聞、それに関る人々のお蔭で若い
お客様もたくさん御来店下さるようになりました。
皆様、ありがとう「新レトロ」の店へどぞ。

常連、毎日来る人
一年に一度でも常連。
ヘッケルン！

ヘッケルン（P.46）・森さん

街の文化は
喫茶店から
生まれる
新宿らんぶる
重光厚宏
名曲・珈琲 新宿 らんぶる 新宿中央通り

名曲・珈琲 新宿らんぶる（P.24）・重光さん

「喫茶店とは……」
お気に入りの喫茶店ですごす時間は、自分をとりもどす大切な時。香りや光や音を楽しむ。
「お菓子とは……」
お菓子は焼き菓子が好き
オーブンから流れるバターの香り
みんなの笑顔・金色のまほう
平均律　有賀えりさ

平均律（P.152）・有賀さん

街の社交場
アルプス洋菓子店
太田恭崇

アルプス洋菓子店（P.190）・太田さん

ケーキ

ブリッヂ

フレッシュ果汁を閉じ込めた
ロマン感じるメロンパンケーキ

今のように携帯電話が普及しておらず、連絡がとりづらかった時代、喫茶店は待ち合わせ場所としてとても重宝されていました。銀座の真ん中、西銀座デパートの地下にある「ブリッヂ」には、かつて周辺に出版社や新聞社が多かったこともあり、作家の向田邦子さんがよく訪れていたそう。「当時はお客さんがタイムカードを押して時間制で料金をいただく『有料待合室』という感じでした。テレビが置かれていた下の席が向田さんのお気に入りで、顔馴染みになった女性店員が、『出版社の誰々に渡して』なんてお願いされることもあったなあ」と、店長の山口さんはそのころを懐かしみます。そんなお店が世間に爆発的に知られることになったのは、ある一つのメニューがきっかけでした。

学生時代にハワイに留学していた山口さんは、コーヒーショップへ頻繁に

ドリンクメニューの
ラインナップも豊富。

メロンパンケーキ

ショーケース内のケーキ、灰皿やシュガーポットもお店の雰囲気を演出する要素。

通っていたそうです。それがきっかけで、帰国後、父親が営んでいた喫茶店を継ぐことに。そのとき好きだったアメリカのコーヒーショップにパンやホットケーキを焼く大きな鉄板があったことから、ブリッヂの厨房にも同じものを置きました。そして留学経験によって磨かれたセンスでハイカラなメニューが増えていきます。

「メニューを運んだとき、お客さんのアッと驚く表情を見るのが好きでね。形や外見がおもしろいメニューを作りたかった」という思いから生まれたのが「メロンパンケーキ」です。どんなメニューか知っていても、テーブルに運ばれた瞬間、ほとんどの人が歓声をあげるそう。薄緑色のクリームで包まれた表面に、生クリームで網目を表現。その中は、まだ湯気の立っているもちもちのパンケーキが3枚重ねられていて、それらの間からは、たっぷりのメロン

見ているだけで楽しくなる、ショーケースのドリンクサンプル。

果肉と自家製メロンソース、アイスクリームがとろりと溢れ出ています。しっとりした生地と、果実の味がしっかりしているあますぎないクリームなので、ボリュームのわりにほとんどの人がペロリと完食。そんな大人も子どもも気分が上がるメロンパンケーキは、「5年くらい前かな。メロンパンの移動販売がブームになっていて、うちで似たものができないかな」と、山口さんが通勤中に思いついたそうです。

ここまで人気が出るとは思っていなく、試食サービスをしていたこともありましたが、現在では1日に約100個も出る看板商品に。他の種類のパンケーキも含めると、約200個も注文があるそうです。

一度メロンパンケーキを食べたことがあるならば、白雪姫を意味するロマンチックなネーミングの「スノーホワイト」はいかがでしょうか？　クリー

スノーホワイト
パンケーキ
ドリンクセット

ムチーズを混ぜ込んだ真っ白なクリームに包まれたパンケーキで、飾られた真っ赤なイチゴとミントの葉が、雪原の中で赤いドレスを着て佇む白雪姫と1本の樹木を想像させます。

注文してから運ばれてくるまでの期待。ここでしか食べられないメニュー。懐かしくも新しい味。よい意味で予想を裏切る斬新さ。それらすべてを満たしてくれるのがブリッヂのパンケーキです。笑顔にさせたい誰かを誘ってみてはいかがでしょうか。

◎**カフェ ブリッヂ**

㊟東京都中央区銀座4-1
西銀座デパートB1F
㊖11:00～20:00
㊡西銀座デパートに準ずる
☎03-3566-4081

メロンパンケーキの外と中

―カフェ　ブリッヂ―

見た目はメロンパン、ナイフを入れればしっとりした生地が三層になって、その間にはカットされたメロンの果肉とアイスクリームがたっぷり。見た目のインパクトだけでなく、一度食べてみれば、そのおいしさの虜になる。メロンのソースで覆われた外側に生クリームの編目模様。デザインもおいしさを盛り立てるのに一役買っている。

古瀬戸珈琲店

緑や陶器の置き物に囲まれて
笑顔になれるシュークリーム

「大学がある街には、必ずやよい喫茶店がある」というのはあくまでも持論ですが、「古瀬戸珈琲店」は、学生時代に足繁く通ったうちの一つです。御茶ノ水駅から神保町方面へ下る坂道の途中にあり、道沿いには夏は活き活きとした緑色、秋にはほんのり色づいて、歩く人たちを和ませるプラタナスの樹が並んでいます。そんな光景を建物の2階にある窓際の特等席から楽しめるのも、古瀬戸珈琲店の魅力です。

「この街は楽器店、書店、病院、大学があって、大人の図書館のような場所ですね。出版関係者などのビジネスマン、先生や学生、長い髪をしてギターを背負ったバンドマンなど、お客さんはさまざま。おしゃべりを楽しんでもかまわないのですが、みなさん比較的、静かに過ごされますね。一人で訪れるお客さんにもリラックスしていただいていますと話すのは、スタッフの浦崎

シュークリーム
※注文は飲み物とのセットに限る。

リス、カンガルー、ゾウ、イヌ、ネコの動物つきのお皿で提供される。どのお皿になるかはお楽しみ。

さん。

　訪れた人がリラックスできる要因の一つが、店内の家具や雑貨に自然を感じられるものが多いこと。松の木のテーブル、数々の焼き物、窓際に置かれた植物など、店全体が呼吸しているようなやさしい空間なのです。

　そして、こちらの看板メニューであるる自家製のシュークリームとシフォンケーキにも秘密が。それはみんなが笑顔になる、ケーキをのぞき込んでいるような姿が愛しい陶器の動物たちがついた特注のお皿。

「落ち込んでいる方や、張りつめた空気感で打合せしている方も、お皿を見ると様子が変わります。それが話題となって会話が弾んでいるのを見ると、こちらもうれしくなりますね」と浦崎さん。

　シュークリームの皮は試行錯誤の末に完成したもので、外はぱりっと中は

陽が差し込む大きなテーブル席、食器を選べるカウンター席、好みの席に座りたい。

カヌレのようにもっちりとした食感。発酵バターを使用しているところがポイントです。クリームにはマスカルポーネチーズとラム酒が入っているため、バニラの主張がほどよく爽やかなあまさ。居心地のよさと相まって、また次も注文したくなる逸品です。このあまいものとコーヒーの相性は抜群。種類豊富なコーヒーは神戸の職人が焙煎したものを使用。ちなみに浦崎さんは、古瀬戸ブレンドよりもやや酸味がある、豊かな香りの駿河台ブレンドのほうがお気に入りだそう。

「コーヒーを淹れることが本当に好きなので、お客さんあってこその仕事ですね。うちのコーヒーとケーキで少しでもほっとし、満足してお店を出られるお客さんを見て、またがんばれるのです」と浦崎さん。

喫茶店とはお客さんとお店の両者が幸せになれる、なんとも不思議で素敵

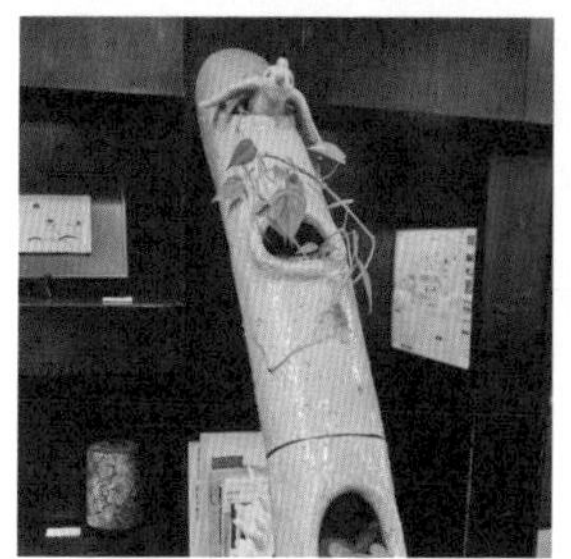

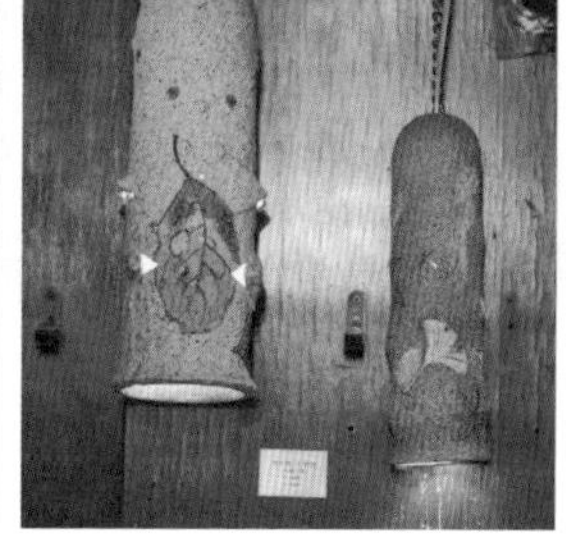

店内には瀬戸物をはじめ、数々のアート作品がある。

な場所。知らない人たちと空間を共有し、お店の方と話ができる。それは、同じ時間に開店してメニューを提供し、誰に対しても同じように接するということをお店の人たちがずっと続けてきたから。古瀬戸珈琲店はカウンター席に座れば、棚にずらりと並んだコーヒーカップの中から好きなものを選べます。非日常なリラックス空間で、特別な器を見ながら、特上の1杯を味わうのはいかがでしょうか？

◎古瀬戸珈琲店

㊢東京都千代田区神田小川町3-10
江本ビル2F
㊥月～金 11：00～22：00
土・祝 12：00～21：00
日 13：00～21：00
㊡不定休
☎03-3233-0673

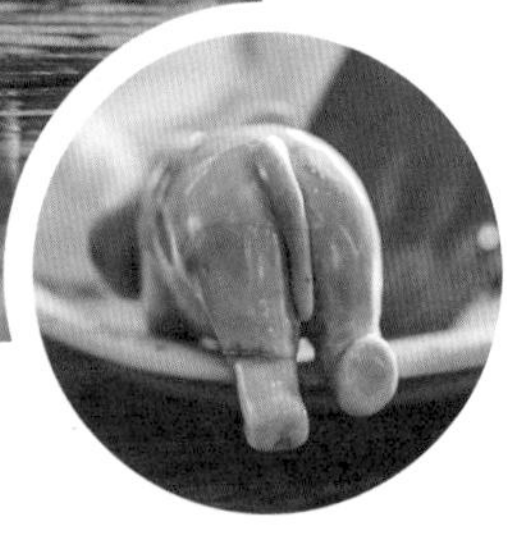

シフォンケーキ
※注文は飲み物とのセットに限る。

飲む前に目で味わう個性豊かなデザインの食器たち

ドイツ製のカップで、カラフルな
デザインがカップ全体につながっている。

春をモチーフにしたピンクの花柄。
ソーサーは冬がモチーフ。ドイツ製。

繊細な柄が全面に
あしらわれた有田焼のカップ。

蝶の柄が特徴的で、
取手が大きく持ちやすい。

動物皿と同じ瀬戸物。
ソーサーには雲と夕日の絵。

カウンター内の棚に並べられた食器の他、店内にはさまざまな産地や作家の陶器が飾られており、椅子の背の部分にも陶器が埋め込まれている（作・城戸真亜子氏）。目で楽しみながら、飲み物、あまいものに舌鼓を打ちたい。

カウンターのみ
喫煙可で、
灰皿は焼き物の
ユニークデザイン

びあん香

緑に囲まれた建物と店内にて
テーブルに花ひらく薔薇のケーキ

お店の方たちが愛情を込めて作るメニューはどれもこだわりがあってすばらしいのですが、中でもすぐに誰かを連れていきたくなってしまうメニューがあるのはこちら。ＪＲ西荻窪駅北口近く、ツタに覆われた建物の半地下にある「びあん香」です。

「びあん香」という看板を見て、店内を覗く通行人もしばしば見かけます。この一風変わった店名は、イタリア語で『白』をさす「ビアンカ」の意味もあります。

そんなネーミングが合う「びあん香ケーキ」は、唸ってしまうような美しさで、「ひと目見たい、ひと口食べたい」という人々の噂が評判となり、広まったメニューです。

薔薇が咲いたビジュアルは店主が考案したもの。毎日お店で焼いている自家製の絶品シフォンケーキの間に生クリームを挟み、その上にアイスクリームを花びらの形にかたどり、一枚ずつ

びあん香ケーキ

重ねていくのです。

「他の店にはないものを」という思いから考案されたのは約15年前。注文が入る度に1枚ずつディッシャーですくわれた花びらは、なんとも魅惑的な口どけ。柔らかすぎると美しい花びらの形にならないため、なるべく冷たい温度で提供できるよう、予備のものを冷やしておく徹底ぶり。それでも注文が重なる時間帯はどうしてもゆるくなってしまい、「満足のいく薔薇が作れないから」と断ることもあるそうです。

見た目のインパクトばかりに注目してしまいますが、単品でも注文できるシフォンケーキは、厳選した卵をたっぷり使用することで、しっとりした、特筆すべきおいしさに。店主が妥協することなく選び抜いたアイスクリームとの相性は抜群です。なお、コーヒーフロート、ティーフロート、コーヒーパフェでもその美しい姿を楽しめます。

お店は道路から階段を下ったところにある。入口横の席の窓からは道を行き交う人々の足が見える。

コーヒーパフェ

ブレンドコーヒー

シフォンケーキにはロイヤルミルクティやシナモンミルクティなどの紅茶を合わせる人が多いようですが、店主のおすすめはブレンドコーヒー。注文を受けてから豆を挽き、ペーパーでゆっくりドリップされたコーヒーは香りが立ち、あまいものと相性がよいそうです。

味への追求はもちろん、目でも楽しめるよう美しい花の形にするというロマンチックなアイデアと、ひと手間を惜しまないサービス精神。店内には植物や手作りのオブジェが飾られ、居心地のよい空間を演出しています。また、トーフグラタンやピザなどの食事メニューもあります。

「来てくれた人たちに喜んでもらいたいから」という店主の気持ちが、これからもびあん香に麗らかな花を咲かせることでしょう。

路地から階段を
下った半地下に
入口がある

◎びあん香

㊢東京都杉並区西荻北２－３－１
㊪11:00～19:00
㊡不定休
☎03-3394-4584

店内にも植物が置かれている。店主手作りのオブジェなども。

店内外で感じるグリーンの癒し

創業当時は店外に花の植木鉢を置いていたそうだが、何度か盗まれることがあったため、ツタを生やすことにした。生命力の強いツタはどんどん伸びていくので剪定などの手入れが大変とのこと。店主が植物好きということもあって、現在は店内にさまざまな花や植物が飾られている。

コラム⑤

思わず見惚れてしまう芸術

飲み物やあまいものに舌鼓を打つのも喫茶店の醍醐味だが、空間を華やかに演出するそのお店ならではの貴重な装飾品を見るのも魅力だ。

アルプス洋菓子店
（P.190）

東郷青児氏がこのお店のために制作した絵画が、2階の喫茶室に向かう階段の壁にかかげられている。

アンヂェラス
（P.172）

入口の吹き抜け部分に施された装飾。ぶどうをモチーフにした装飾は創業者の奥さんのアイデアによるもの。

ホテル ニューグランド「ザ・カフェ」
（P.52）

1階のロビーから2階に向かう大きな階段。映画やテレビドラマのロケ地としても有名。

ジュリアン
（P.146）

印象的な形の窓は同店を象徴する建築デザイン。創業時は四角い窓だったが、改装時にまるくなった。

珈琲館 くすの樹
（P.166）

1階中央にある暖炉は同店の内装の特徴で、温かな雰囲気を演出。店外の木々は窓際の席から観賞できる。

珈琲専門店 ミワ
（P.178）

ピアノが置かれた横の壁にある銅板アート。その他、お店の看板も銅板で、内装に馴染んでいる。

日本橋髙島屋 薔薇窓
(P.108)

日本橋髙島屋の建物は三層構造になっており、建物の中にはアンモナイトが埋まった大理石の壁もある。

珈琲西武
(P.18)

広大な客席の中央天井にある巨大なステンドグラス。他席から観賞してもよし、中央席から見上げてもよし。

古瀬戸珈琲店
(P.124)

瀬戸物をはじめ、店内には器やオブジェが飾られている。カウンターの壁にずらりと並んだ食器類も圧巻。

ロン
(P.158)

2階席へは螺旋階段で向かう。著名な建築家によるデザインで、1階を見下ろせる設計も同店の特徴。

飲みもの

さぼうる

創業者が現役の老舗喫茶店の
1色から6色に進化したクリームソーダ

神保町駅から地上に出ると、すぐに視界に飛び込んでくる長蛇の列。それは三人前くらいありそうなボリュームたっぷりのナポリタンを求め、「さぼうる2」にやって来た人たち。その隣に1952年創業の「さぼうる」があり、空席があれば幸いというほど、こちらも賑わっています。入口からは想像できないほど店内は広く、地下、中2階、カウンター席、窓際の特等席と、座る席によって気分を変えられる楽しさも人気の理由。そして、店頭でお客さんを出迎える姿がお店のトレードマークだった、店主の故・鈴木さんが多くの人を惹きつけてきました。22歳からずっと「さぼうる」に立ち続けてきたのです。

「さぼうる」という店名は「味、味わい」という意味のスペイン語が由来。

「昭和30年ごろはスペイン語の名前をつける店が多かったんだよ。1回聞い

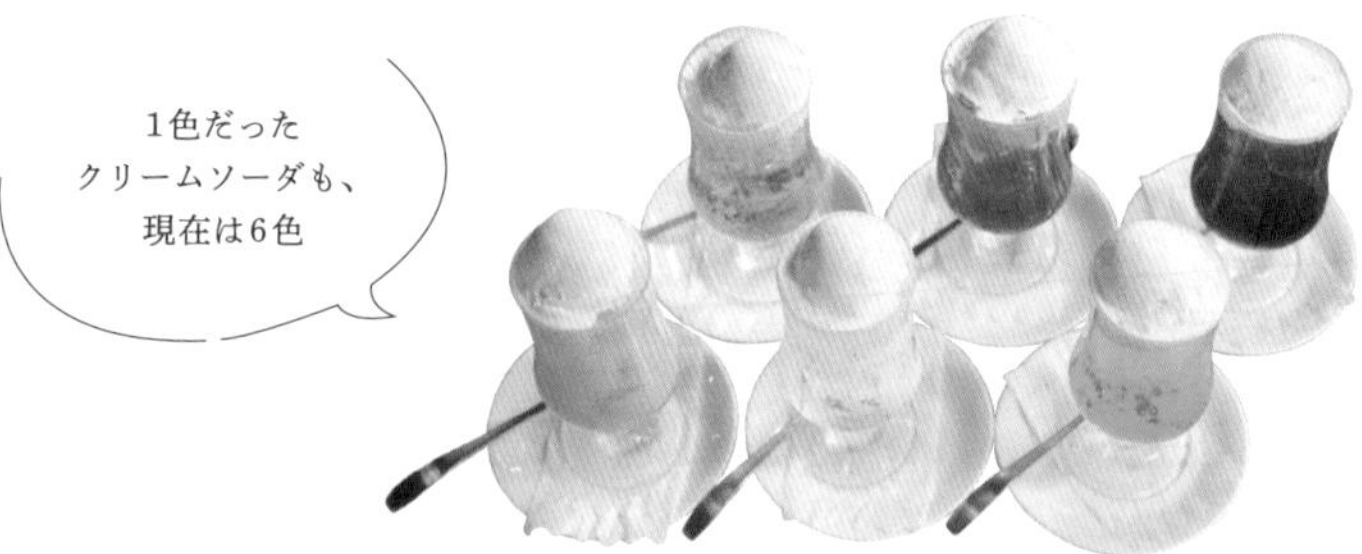

1色だった
クリームソーダも、
現在は6色

クリームソーダ

たら忘れられない名前にしたかった」と鈴木さん。そのころのコーヒーの価格は1杯40円。ラーメンが1杯30円だったことからも、高級な嗜好品だったことがわかります。

　そのコーヒーとともに同店を支えてきた飲みものが、クリームソーダ。鈴木さんがはじめて出会ったのは小学校5年生のときでした。

「戦争が終わって北品川で暮らすことになった。その隣に住んでいた資生堂のコックさんに『バンガロー』という、1回の食事で1カ月分の給料がなくなってしまうほど高級なレストランを紹介されてね。そこではじめてクリームソーダを飲んだんだ」

　当時の貴重な飲み物は、鈴木さんの手により、メロン味の緑色、レモン味の黄色、ソーダ味の青色、イチゴ味の赤色、ブドウ味の紫色、オレンジ味の橙色の6色と種類が増え、現在に至る

右上：お客さんによる壁の落書き。下：さまざまな種類の小物が空間を埋め尽くす。

まで多くの人たちから親しまれています。数名で来て全種類を注文する人も少なくないそう。

　クリームソーダや凝った内装の他にもさぼうるの名物といえばこちら。それは店内の壁いっぱいの落書きです。今から40、50年前に、結婚式の2次会の寄せ書きとしてこっそりと書かれたのがきっかけで、その後、真似をする人たちによって増えていきました。その中には著名人が書いたものも。今では自分たちが書いたものを探しにやってくる人たちもいるそう。63年の間、柱を2〜3本交換しただけという店内には、さまざまな人たちの思い出がぎっしりと詰まっているのです。なお、現在、新たな書き込みは禁止しています。

　鈴木さんが一番好きなのは、日中、眩しいほどの光が差し込む窓際の席。開店準備をした後に1杯のコーヒーを飲むのが、1日の幸せだそうです。そ

上・下：飾りものはお客さんからいただいたものも多数。

店主だった故・鈴木さん。

して、窓の外を眺めて、やってくるお客さんたちの様子を確認します。高齢の方や歩行が困難な方が来店したときには、入口から近いこの席を譲ります。「神保町はとてもいい街だね。ここでおもしろい時代を生きてきた。60年も経つと二代目、三代目と代替わりしていくのが普通だろうけどね。時代が移り変わった過程を生きているうちに次世代へ語り継いでいきたいね」と微笑む鈴木さん。そんな鈴木さんが店頭で出迎えてくれる風景は、これからもずっと変わらないでいてほしいと、ここを訪れた人なら誰もが願っているに違いありません。

◎さぼうる

㊒東京都千代田区神田
神保町1-11
㊟9:00〜23:00
(L.O. 22:30)
㊡日・祝日不定休
☎03-3291-8404

クリームソーダの作り方

1 グラスいっぱいに氷を入れる。

2 ソーダ水を注ぐ。

3 シロップを注ぐ。

4 バニラアイスを乗せる。

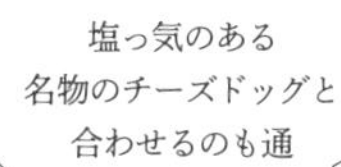

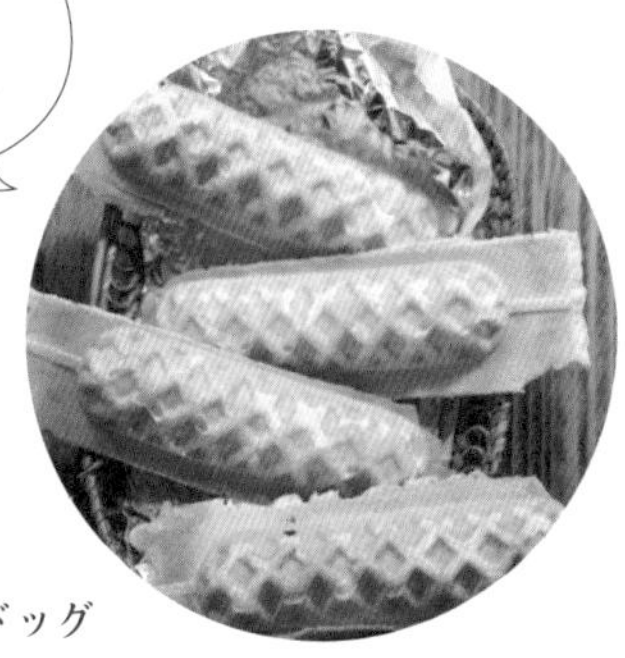

チーズドッグ

ジュリアン

レトロな建築とともに目を潤す
2色で一つのペアソーダ

見てうれしくなり、食べておいしいメニューが多々存在する喫茶店。その中でも、特別に心ときめくメニューとは、ひとときの逃避行気分を味わわせてくれる江ノ電とJRの中継地点・藤沢駅近くの喫茶店で出会いました。それは私が勝手に「純喫茶小道」と呼んでいる細い路地にある「ジュリアン」です。

店名は、フランス・スタンダール著の『赤と黒』という小説に登場するジュリアン・ソレルから名づけられました。思わず見惚れてしまうレンガ色の重厚な造りの建物には、大きなまるい窓が三つ。飴色のガラスのランプが照らす店内には、艶のある茶色の椅子が並び、その中にはハートの形にくり抜かれている背もたれのものも。中央には時の経過で変色したメニューサンプルがあり、それらを眺めていると、注文前に心が踊ります。

「創業は1965年。現在の外観・内

ペアソーダ

装になったのは40年ほど前で、まるい窓は、創業当時は四角でした。窓の形とは関係ありませんが、私は端や角が好きじゃないので、窓の前の席が明るくて好きですね」と、店主の小川さんは、常連さんがくつろいでいる窓際席に視線をやり、笑みを浮かべます。

平日は朝から近隣で働いている常連さんが訪れ、昼食時は特に混み合うそう。土曜日は習い事を終えた人たちがグループで訪れ、会話に華を咲かせています。60もの椅子がすべて埋まってしまうこともしばしばとのことです。また、転勤された方が久々に訪れたり、昔家族で来ていた方が大人になって子どもと訪れたり。こうしたエピソードは、同じ場所で長年続けている店ならでは。

遠方から訪れる多くの人たちのお目当ては「ペアソーダ」です。「ペア」を梨と勘違いされる人もいるそうですが、本来は「対」の意味。ぽってりとした

通りかかった人たちの目を惹くまるい窓が特徴の建物。

時間経過で変色した食品サンプルに歴史を感じられる。

グラスの真ん中は仕切られていて、片方に緑色、もう片方にはピンク色のソーダ水が入れられ、さらに上にはそれぞれ濃厚なアイスクリームと生クリームがトッピングされます。そのビジュアルはロマンチックそのものですが、残念なことに、この特注グラスはあと4脚しかありません。

「五人のお客さん全員が一度にペアソーダを注文されたことがあったのですが、グラスがなくて、お一人はクリームソーダにしていただきました」

いろいろなところで探し回ったそうですが、同じものは見つからず。ご注文された際のお取り扱いにはくれぐれもお気をつけください。

このペアソーダに合わせたいのが、プリン。生クリームとサクランボだけというシンプルなルックスですが、カラメルがきらりと輝き、こちらも心がときめきます。もちろん味わいも豊か。

—ジュリアン—

くるくる回して見るメニュー表。ハート型に抜かれた背の椅子もキュート。

アメリカンスカッシュ

プリン

「両親の手伝いをしていたころと、自分が引き継いでから変わったことはあまりないですね。先代の見よう見まねですが、手際はよくなってきました」

接客、調理、経理、経営を一人でこなす喫茶店の店主たち。しかし、そんな大変さは微塵も見せずに、訪れる人たちを喜ばせています。ジュリアンも同じで、2色のソーダ水は、今後も藤沢を訪れた人たちの思い出に強く残り、一層キラキラと輝くでしょう。

◎ジュリアン

㊒神奈川県藤沢市藤沢１１０
営10:00～18:00、
土11:00～18:00
休日・祝
☎0466-22-7955

まるい形の窓の外を眺めながら時の流れを忘れて

駅からすぐの場所とあって、多くの人が行き来する路地。店内に流れるジャズを聞きながら、のんびり過ごす至福の時間を味わいたい。

右側の写真は創業時の外観。左側の写真は1回目の改装後の外観。その後さらに改装し現在に至る。

平均律

ひと口ごとに味わいが変わる
美しき3色のウインナーコーヒー

日本の経済成長が絶頂期に差し掛かった1980年代。若者を中心に、音楽や映画、ファッションといったカルチャーも盛り上がり、原宿はその中心地でした。その一角に「コーヒーの伝道師」と呼ばれたマスターが切り盛りするお店「平均律」がありました。お店は建物の建て直しのため閉店してしまいましたが、それから10年後、東急東横線・学芸大学駅にて営業を再開します。

「駅から曲がって入る道の雰囲気が原宿のころのお店と似ていたのでここに決めました」と語るのはマスターの奥さんの有賀さん。お客さんから〝えりささん〟と呼ばれて親しまれています。悲しいことに2017年4月にマスターが他界したため、その後えりささんがお店を切り盛りしているのです。

「この前、不思議なことがあったの。アルバイトのスタッフがカウンターの棚を見て『開店して以来の乱雑さですね』っ

ウインナーコーヒー

ていうの。普段そんなことをいうスタッフではないので、きっとマスターからの『きちんとしなさい』というメッセージだったのかなと」

闘病しながら最後までお店に立ち続けたマスター。店内はマスターが残したもので溢れており、その一つが「ウインナーコーヒー」です。細長いグラスの下層に、粗めの砂糖、中層にブラジルコーヒー、上層に生クリームの3層になっており、まるでカクテルのような美しさ。最初のひと口はひんやりした生クリームを、次に濃いめに入れられた温かなコーヒー、最後はとろりとしたあまさを味わえます。砂糖が残ってしまった場合、お湯を注いで飲む常連さんも。マスターはとてもお茶目な方で「アイスココアを注文したお客さんには『キミを愛すココア』など冗談をいうこともしばしばでした」とのこと。

メニュー一つひとつに思い出があり

アイスコーヒー

フレンチトースト

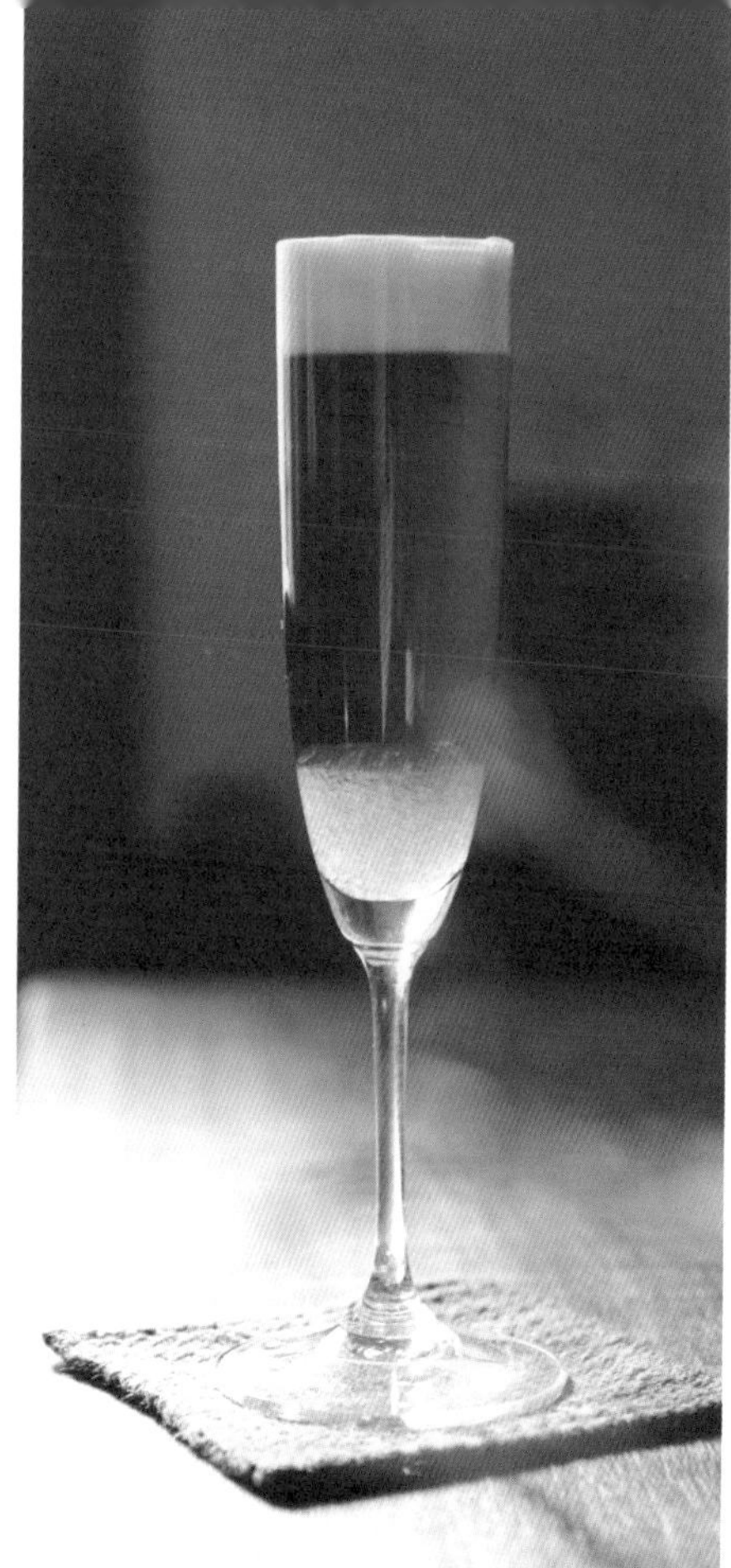
下層が粗めの砂糖、中層がブラジルコーヒー、上層が生クリームの三層構造。

ます。「フレンチトースト」は、ダスティン・ホフマン主演の映画『クレイマー、クレイマー』に出てくるものをイメージしたそうで、バターをたっぷり使用していますが、上質なカルピスバターのため、しつこさは残りません。

また、アイスコーヒーはえりささんのおすすめメニューで、氷をたっぷり入れたグラスに、ブラジルコーヒーを少しずつ落としたもの。あまめが好きなマスターはブラックで飲むお客さんに「少しシロップを入れたほうがおいしいよ」と口うるさくいっていましたとえりささんは笑います。

店内にある食器は営業を再開してか

カウンターやテーブル席には花が飾られ、幸せな気分になれる。

ら集め直したものですが、中には原宿時代のものも。「お客さんに差し上げたのですが、もう一度こちらで使ってほしいと提供されたものもあります」。それらにはもちろんマスターとの思い出が宿っています。

コーヒーやあまいものを堪能しながらえりささんと会話していると、マスターの気配を感じる常連さんもいるそうです。えりささんのことを気になって仕方ないマスターが、お店のどこかでみんなのことを見守りながら微笑んでいるのかもしれません。

◎平均律

㊢東京都目黒区鷹番3-7-5 2F
㊢水～日 13:00～17:30
㊡月・火（祝日の場合は営業）

平均律の食器コレクション

骨董市で購入したイギリス製のカップは、マスターの一番のお気に入りだった。ソーサーと焼き菓子を乗せる皿がセットになっている。

ロイヤルコペンハーゲンのカップはえりささんのお気に入り。

純度の高い土を使用している韓国製のカップ。

表と裏で違う絵を楽しめるドイツ製のカップ。

ロン

上質なモダニズムでくつろぐ
懐かしの味・ミルクセーキ

喫茶店を利用する人が減少してしまった理由には、携帯電話の普及が関係しているという意見があります。現在のように一人一台があたり前ではなかった時代には、事前に場所と時間を決めてそこで落ち合う、ということが一般的で、その際に喫茶店が重宝されていました。「待ち合わせ」という言葉の響きやその行動はとてもロマンチック。連絡が取りやすくなった今日でも、わざわざ待ち合わせをしたくなることも。四ツ谷駅から徒歩数分の場所にある「ロン」は、そんなときにとても魅力的な空間です。

お店は佐賀県立博物館なども手掛けた建築家・高橋靗一氏に師事した池田勝也氏が設計。コンクリートの外装と2階までの高さの入口は、歩く人の目を留めます。店内は吹き抜けになっており、螺旋階段に真紅のソファと、どこを見てもうっとりする造り。建築か

ミルクセーキ

ら50年以上経った現在でも、その建築美は古さをまったく感じさせません。

　こちらを訪れると、誰かと待ち合わせをする空想に夢中になります。例えば、先に到着した私は2階席に座り、そこから1階の様子をうかがいます。ミルクセーキを片手に手すりにもたれかかって、入口のドアが開く度にはっと顔を上げる。しかし、知った顔ではなかったことを確認し、窓の向こうの道路を走る車に視線をやる。しばらくすると、待っていた人が息を切らせながら螺旋階段をぐるぐると上がってきて、真っ赤な椅子に腰を下ろしてから「おまたせ」と笑う……。そんな素敵なひとときがロンにはとても似合うと思うのです。

　似合うといえば、ミルクセーキと店内の椅子。真っ赤な椅子にはミルクセーキのたまご色がとても映えるのです。卵の黄身、牛乳、砂糖というシンプルな食材で、あまみをしっかり感じなが

開店すると常連さんが訪れ、顔見知りとあってか会話が始まる。

らも、レモンの皮が少し入っているからか、最後まですっきりとした味わいです。作家の井上ひさし氏もかつてこちらの常連さんで、訪れると必ずのようにミルクセーキを注文されたそうです。ちなみに、クリームソーダの緑と真っ赤な椅子のコントラストも美しいのでおすすめです。

「椅子の座り心地やテーブルの形、口をつけたときのコーヒーカップの感触など、さまざまな要素の調和がとれていると、よい店だなあと思うね。自分の店で一番好きなのは、2階の左側一番奥か、吹き抜けを眺められる特等席かな」と語る小倉マスター。店を愛し、大切にしている気持ちは、お客さんが感じる心地よさにつながっているのでしょう。

また、店内にはビートルズやマイケル・ジャクソンの曲が流れ、吹き抜けであるがゆえにお客さんの会話や物音が適

日中、窓際の席には朝日が差し込む。装飾品、照明、灰皿やシュガーポットなど、それらが店内の心地よさを演出している。

コーヒーフロート

度に聞こえます。静まりかえった店内ではなく、こういった音が一人で訪れる人をさみしくさせないので居心地がよいのかもしれません。

たまには喫茶店で待ち合わせをして、少し早くお店に入り、ぼんやりとする時間を過ごしてみませんか？　そして、美しい空間の中で、爽やかなミルクセーキを1杯。いつもいつも急がなくてよいのだと気づくことで、時間の概念が変わるはずです。

◎ロン

㊒東京都新宿区四谷1-2
㊚11:00～18:00
㊡土・日・祝
☎03-3341-1091

コンクリート外観の中には木と革の温もりがある

お店を切り盛りする小倉マスターと、奥さん、娘さん。

2階までつながった特注のガラス窓の扉を開けると、店内は木材ベースの温かみのある空間になっている。創業時から変わりのない木目のある床板、時の経過で艶が出た全面革張りの椅子、螺旋階段を上った2階席も同様の空間が広がる。

また行きたくなる、満足感を次に残して

ふわふわ。もちもち。ほかほか。ぷるぷる。すべすべ。しゅわしゅわ。おいしさを誰かに伝えるためのやさしい響きの言葉たち。

おやつ。3時。笑顔。ひと休み。季節感。美しい姿。後味と余韻。

「あまいもの」から連想するのは、肩の力がふっと抜けるようなうれしい言葉たち。

湯気がゆれる出来立てのホットケーキの上で踊るバターの香り。

プリンのまわりを華やかに彩る見栄えよくカットされた果物。

大人になってもときめくクリームソーダの中で弾ける泡の透明感。

やわらかなパンの中でクリームと瑞々しい果肉が奏でるハーモニー。

パフェグラスの中で何層にも重なり合う芸術作品のような断面の美しさ。

メニューに並ぶ文字にわくわくして、運ばれてきた瞬間にうれしくなって、素朴でかわいらしい姿に見惚れて、口に運んだら思わず笑顔になってしまう、とっておきの「あまいもの」たちを食べられるお店を紹介しました。

私が純喫茶に夢中になったきっかけは、昭和の時代の家具や雑貨。喫茶店は、外観、内装、看板、食器、店主、メニューは一つとして同じものはなく、自宅と学校、または職場の間にあるオアシスのような存在です。そこで食べることのできる「あまいもの」たちは、どこか切なくなるような記憶とともにあるからでしょうか。大人になった今でも喫茶店の「あまいもの」と出会うとやさしい気持ちになれるのです。

最後に。お忙しい中にも関わらず、取材や撮影に快くご対応くださったお店の皆さまに心より感謝申し上げます。この本を作るにあたってお邪魔したお店では、お話をうかがうだけではなく、そのメニューが作られる貴重な場面も見せていただき、その過程を知ってますます恋しくなりました。

「訪れた人たちに喜んでもらいたい。食べて楽しい気持ちになってもらいたい」。そんな願いを込めて一つひとつ丁寧に作られるメニューたち。喫茶店の「あまいもの」たちはこれからもたくさんの人を笑顔にしていくのでしょう。

一人でも、誰かを連れてでも。気になるお店を見つけたら、今からお出掛けしませんか?

のんびりと過ごしているようでも、刻々と進化していく街の様子に日々驚かされます。時を経て久しぶりの街を散策してみると、記憶の中では当たり前のようにそこにあった景色がすっかり消えていて、まるで自分の勘違いだったのかと思ってしまうほど様変わりしていることもしばしばです。

世の中はどんどん便利になっていき、その一つスマートフォンやSNSの発展によって、誰かの行動記録を画面上で眺めることで自らがどこかへ行かなくても同じ経験をしたような気持ちになることが可能になりました。それはもちろんすごい技術で、私もじゅうぶんその恩恵にあずかっておりますが、目で見て耳で聞くことはできても、実際に何かを食べたり飲んだり、もしくは匂いを覚えたり、そういうことができる未来はまだまだ先なのかもしれません。

２０１８年に刊行したこの本で取材した30軒のお店のうち、７軒がこの数年間で閉店・休業となってしまいました。さみしい気持ちがないといったら嘘になりますが、その理由はさまざまで、それぞれが人生について考えられた結果ですので、長い間くつろぎの空間と心癒す「あまいもの」を提供して下さったことにひたすら感謝の気持ちでいっぱいです。

確実に、あのとき、あの場所にあった時間。交わした言葉、今でも浮かんでくる笑顔……。お店は無くなってしまっても、そこで過ごした思い出はこれからも消えることはありません。

皆さまの「あのとき」の記憶を、この章で共有できたら幸いです。

＊この章に登場するお店は閉店・休業しています（2023年1月時点）。記録として残すために、お店の情報等は前版『純喫茶とあまいもの』（2018年7月刊行）のまま掲載しています。

珈琲館 くすの樹

シャトーと隣り合わせた本館の中で味わう
コーヒーのシャワーを浴びたマーブルパフェ

交通量の多い西東京市の五日市街道に一風変わった建物と大きな楠木があります。この楠木が店名の由来である「珈琲館 くすの樹」は、1979年の創業以来、心がほっと和んでいくコーヒーと時間を提供し続けています。

本館と別館のシャトーがある、広々としたお店を引き継いだ二代目オーナー・下田さんは、元々銀行で働いていました。そのころのサービス精神は、お店でも役立っているそうです。くすの樹のメニューは、朝・昼・晩のすべてで食事をしても飽きないほど種類豊富ですが、メニュー表には下田さんが撮影した写真がついており、はじめて訪れた人もひと目でわかります。

また、モーニングはお店の特徴の一つで、平日、休日問わず、開店と同時にそれを目当てに多くの人が訪れていますす。注文数にばらつきはあるそうですが、「それぞれのメニューにファンがいる

マーブルパフェ

から（下田さん）」と、メニュー数は極力減らさないようにしているのだとか。

くすの樹の本館に隣接する約30席のシャトーは、エジプト絵画を模した絵が飾られており、貸切もできます。本館は天井まで吹き抜けで、1階には暖炉があり、山小屋のような雰囲気。そんな空間でぜひ味わいたいのが「くすの樹マーブルパフェ」。濃厚なアイスクリームに熱々のコーヒーを注いだもので、口の中に熱さと冷たさが交互に訪れます。「こんなにもたくさん入っている！」と多くのお客さんが喜ぶアイスクリームは、5個も盛りつけられ、散りばめられたアーモンドスライスがアクセントに。パフェに注がれるコーヒーは深煎りのものが使用され、あまいアイスクリームにマッチしています。通常は店員の方が注いでくれますが、自身で好みの量をかけることも可能です。

また、店名に「珈琲館」とあるだけあっ

お店の外にある、高さ20メートルの楠木は、200年前、木曽の御岳神社から譲り受け植樹したもの。

てコーヒーのバリエーションが豊富。それぞれの豆の個性がぶつからないように風味を変えているブレンドは、トーアコーヒーから仕入れている7種類。特に「のぞみ」と「きらら」が人気だそうです。「きらら」は東日本大震災後に「希望」を感じる名前として考案されたもので、売上の一部が義援金として寄付されました。8種類あるストレートコーヒーも自信作で、焙煎度合いを調節して仕上げた深煎りのマンデリンアチェは、コクとあまみが合わさった逸品です。

また、パフェとコーヒーを合わせたいときは、「ブレンドだったら炭火や蔵出し、もしくはストロング。ストレートならマンデリンアチェでしょうか。アイスクリームのあまさには酸味のあるコーヒーはあまりおすすめしません。逆に酸味のあるコーヒーはチョコレートとよく合いますすね」とのこと。

広々とした店内は、コーヒー色で統一されている。

照明、壁の装飾なども空間演出を引き立てている。お店に入ってすぐのガラスケースには、ケーキが陳列されている。

「カフェインもコーヒーの一つの味わい」と語るコーヒー好きの下田さんですが、最近ではお客さんのニーズに合わせてカフェインレスも始めました。溶剤を使わず、天然水だけでカフェインを除去したものを提供しています。

訪れる人たちのことを考えながらコーヒーの魅力を伝えるくすの樹。毎朝お店で焼いている「カフェボール」は、コーヒー豆の形をした焼き菓子でテイクアウトもできます。くすの樹で楽しい時間を過ごし、誰かのお土産にカフェボールや季節のケーキを持って帰る、というのはいかがでしょうか。

◎珈琲館 くすの樹

2019年4月閉店

ストレート8種、ブレンド7種 珈琲館のこだわりの1杯

ブレンドコーヒー

Angelus

三代にわたり下町で愛され続ける老舗の西洋装飾に映えるプリン・ア・ラ・モード

かつて、『鉄腕アトム』の作者である手塚治虫氏や美食家の池波正太郎氏が懇意にしていたことでも知られる老舗喫茶店「アンヂェラス」。1946年創業の同店は、近隣の常連さんからしてみれば、「いつもある大切な街の喫茶店」。これに加え、日本きっての観光地、さらに舞台や落語を観賞しに来た人にとっては、「浅草に来たらぜひここでひと休みしたい憧れの喫茶店」です。

お店は、山小屋風の外観、天使の輪をイメージしたむき出しの照明、ぶどうモチーフの装飾、アーチ型の天井など、細部までこだわりのある造り。「7、8年前に3階の一部を改装した以外は、椅子やテーブルも当時のまま。以前、私の母が入口の絵を外したとき、お客さんに『あの絵はどこにいったんだ！』って怒られて。変わらないことも大事なんだ、って痛感しました」と三代目の関田仁子さん。

―アンヂェラス―

プリン・ア・ラ・モード

店内の至るところに絵画やステンドグラスなどの装飾が見られる。

店名は、カトリック教会で祈りの時刻を知らせる鐘の「アンヂェラス」が由来で、関田さんの祖母がつけたそう。定番商品であるケーキ「アンヂェラス」は、クリスマスに食べるブッシュドノエルを一般家庭にも届けたい、という思いから小さなサイズで考案されたもの。バタークリームを塗ったスポンジ生地をロール状にし、まわりがチョコレートでコーティングされています。味はブラックチョコレートとホワイトチョコレートのほか、時季によって特別な味も登場します。

「秋から年末にかけては塩キャラメル、年明けからバレンタインのころはラズベリー、春は桜、深緑のころには抹茶、夏はレモン。ずっと黒と白の2種類でしたが、バタークリームはアレンジしやすいという職人の提案で、5種類が生まれました。表面を飾る細かな線引

改装された3階席は、広々とした空間で、窓から陽が差し込む。

手塚治虫氏のサインが飾られている。

きもすべて手作業なんです」

　また、かつては銀色の器に平らに盛られていたというプリン・ア・ラ・モードも人気。プリンは、当時のレシピが記されている分厚いファイルにある作り方を守られています。

「変わらぬ味を提供するために、卵の温度管理には毎朝気を配り、特に生クリームにはこだわっています。ひと口だけではなく完食して『また食べたい』と思えるように。作り方が同じでも、食材は変わるのでその都度確認して一番いいものを提供しています」

　飲みものにも定番があります。「梅入りのダッチコーヒー」は、ブランデーグラスに入ったクラッシュアイスの上からコーヒーを注ぎ、梅酒と梅をお好みで足します。ちなみに関田さんは、「ケーキにさっぱりと合うから」という理由でジンフィズと一緒に味わうのもお好きだとのこと。

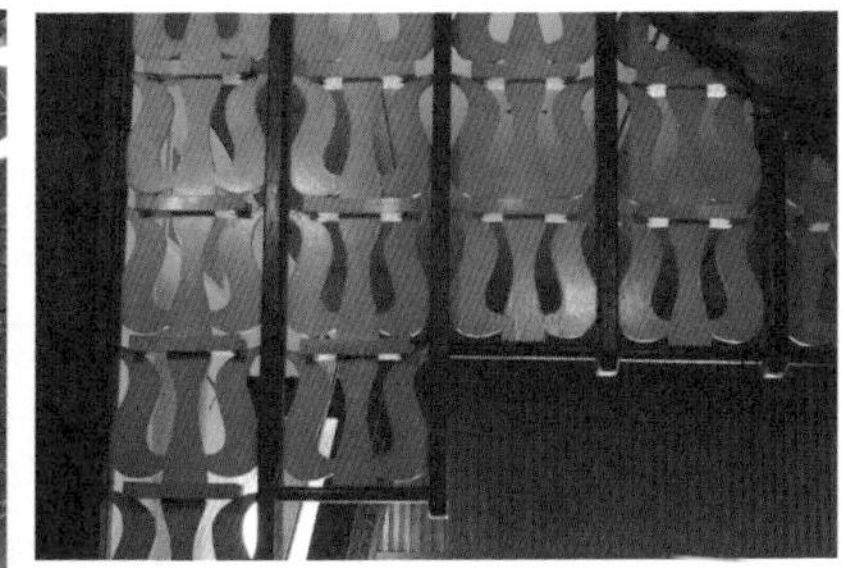

1階の吹き抜け。天使の輪をイメージした蛍光灯、ぶどうモチーフの装飾など、店内の細部までこだわりの内装。

子どものころはお店を継ぐことを考えていなかった関田さんですが、「アンヂェラスを継ぎ、さらに今は結婚した先でそば屋の女将をやりつつの二足のわらじです」と毎日が大忙し。そんな関田さんが癒やされるのはお客さんの存在。「ここで告白して結婚し、そのお子さんが大きくなって来られることも。お客さんそれぞれのストーリーを聞くとうれしくなって」といいます。

また、常連さんは、それぞれの定番があり、同じものを毎回注文されるそう。ガラスケースの並び順は基本的に変わらないので、目当てのケーキをめがけて来店し、売り切れていれば日を改めることも。

「浅草で商売し続けるプレッシャーもありますが、伝統を守りつつ、新しい風を吹かせられたらと思っています」

三代目の心強い笑顔に常連さんもほっとしていることでしょう。

アンヂェラス

左から、黒、白、塩キャラメル。

◎アンヂェラス

2019年3月閉店

―アンヂェラス―

歴代の文化人も求めた梅ダッチコーヒー

ブランデーグラスにダッチコーヒー（水出しコーヒー）と梅酒を注ぎ入れる梅ダッチコーヒーは、池波正太郎氏のアイデアで生まれた。梅の香りが爽やかであまいものとの相性もいわずと想像できる。ゴルフクラブのマドラーが添えられている。

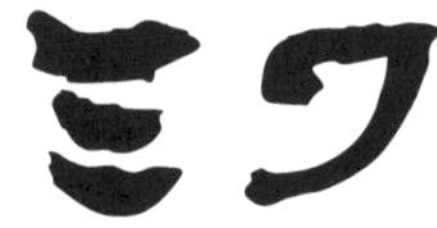

店の人が食べたいものをメニューに
一人でぺろりと食べられるフルーツサンド

近隣住民やJR市川駅の利用者から40年間親しまれている地下のオアシス「ミワ」は、10年ほど前からシャンソンを愛する人たちの憩いの場にもなっています。現在三代目オーナーを務める井関さんは、知り合いだった二代目から引退したいという話を受けたとき、ちょうどご主人がシャンソン教室を開きたいという思いがあったことで、教室を併設した喫茶店として引き継ぎました。飲食業に携わったことのない井関さんでしたが、二代目のころから調理などを一手に引き受けている男前で笑顔の素敵な店長と、にこやかで愛想のよいスタッフがいてくれたからこそ安心してオーナーになりました。

以前からメニューは豊富でしたが、フルーツサンドは井関さんの提案から生まれ、人気メニューに。

「食事ではない時間帯に、おやつ感覚でつまめるものがあったらいいなと思っ

フルーツサンド

て。生クリームは店長のこだわりで、手作業でホイップ。キメ細かくなり、お客様から『有名店の生クリームよりおいしい』っていわれることもあります」と、お客さんの笑顔を思い浮かべ、うれしそうに語る井関さん。フルーツサンドの持ち帰りは可能ですが、夏場はお断りしているという理由にも納得です。

三角形にカットされたふわふわのパンの中には、イチゴとキウイが。2種類だけという潔さから生まれる美しい色のコントラストも味わいの一つです。季節によって手に入らない場合は、ミカン、バナナ、キウイの組み合わせになり、こちらのファンも多いそうです。いずれもカットしたものが8個、おやつにはたっぷりすぎるほどのボリュームで、食事代わりにする人や、男性からの注文も多いのだとか。そして、お

店内にピアノがあり、シャンソンの演奏会がおこなわれることもある。

上：このカウンター内で二代目から担当している店長が、おいしいコーヒーを淹れ、あまいものを作っている。　下：お店の随所にあるランプも魅力。

もしろいのが同じ皿の上に盛られたポテトチップス。フルーツサンドの箸休め的な存在で、塩気がますます食欲に拍車を掛けるのです。こちらは焼きサンドを注文した際にもついてきます。

他にも気になるデザートがたくさん。例えば小倉ワッフルは、注文を受けてから1枚ずつ丁寧に焼かれ、店内によい香りを漂わせます。生クリームの洋と、小倉の和のあまみが意外にも相性よく、さらに温かい生地と冷たいアイスクリームの温度差も楽しめ、高齢の方や女性の注文が多いそうです。また、チョコレートクレープも人気で、皮でアイスクリームを包み込み、チョコレートソースでラインの模様を描いた美しい見た目。こちらの皮もお店で焼いた手作りです。

「決まった曜日、時間にいらっしゃる方が多く、常連さんはいつも同じものを注文。また座る席も決まっていますね。先客がいる場合、空いたら移動される

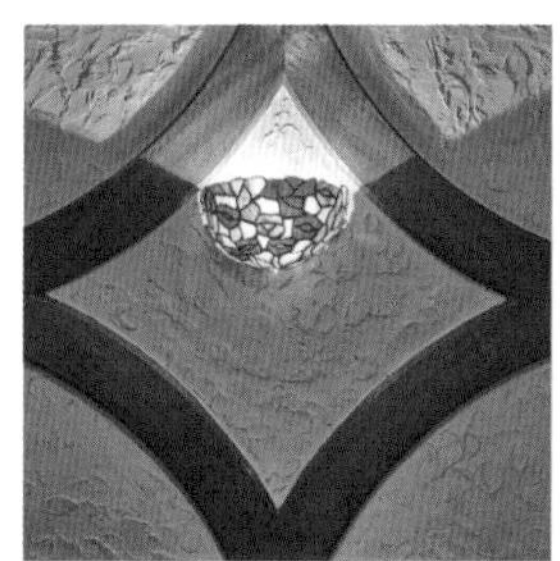

チョコレートクレープ

こともあるんですよ。常連さんが来店されたときは、その席が空いているか気になりますね」と、井関さん。

会話をしたり、読書をしたり、考えごとをしたり、「もう一つのリビング」のような空間であることは喫茶店の大きな役割ではないでしょうか。ミワはそんな場所。訪れた人たちにとってまさに近隣に住む人たちのほっとした表情や笑顔を目にする度に、ここが存在することの大切さを実感し、いつまでもあり続けてほしいと願わずにはいられないのです。

◎珈琲専門店 カフェ・ミワ

2020年1月閉店

マスターお手製の焼きたての小倉ワッフル

小倉ワッフルは、二代目のころから調理を担当している店長が専用の焼き器で作る。温かい生地と冷たいアイスのコントラストが特徴。

焼きたての
おいしさを味わって
いただきたい

ラ フォーレ

果物の美しい断面と芳醇な香り
果汁が滴るフルーツサンド

ＪＲ小岩駅の目の前にある青果店。店内に一歩入ると、熟した果物のあまい匂いが漂い、幸福な時間が始まります。その香りとともに、この世界に入って約50年という「果物のベテラン」の渡辺さんがお出迎え。丁寧に包装されたメロン、ブドウ、モモ、ミカン、カキ、リンゴ、ナシ、マンゴー、キウイ、巨大なスイカ、アケビ、バナナなど、旬のものが並び、食べごろの状態で買ってもらえるのを待っています。産地もさまざまなので、どれにしようか迷ったときは、渡辺さんに相談を。丁寧な説明の後、一番おいしいものを見繕ってくれます。店内の壁に貼られていた「病気別によるお見舞いに最適なフルーツ一覧表」がとても興味深く、じっと眺めてしまいました。

また売り場の一角には、季節の果物をふんだんに使用したフルーツポンチ、ゼリー、ムースなどが陳列され、冬限

フルーツサンド

定で販売されるイチゴケーキはとても人気なのだとか。

　同店の2階には、フルーツパーラー「ラフォーレ」が併設されています。ジャズが流れる空間に四人掛けのテーブルが10個。煉瓦が積まれた壁、銅板に彫られた絵が壁に飾られ、温かな雰囲気。ここで青果店の果物を使用したメニューが食べられ、その中でも人気なのがフルーツサンド。メロン、バナナ、パイン、オレンジ、季節によってキウイやイチゴが、生クリームとふわふわの食パン2枚に挟まれ、三角形にカットされています。大きめにカットされた果物がこぼれないようにと頬張る、幸せな瞬間です。

　また、果物そのもののあまみをダイレクトに味わいたい人には「メロンボード」もおすすめ。なんと、マスクメロン半分が器となり、その中には、アイスクリーム、生クリーム、日々内容は

店内の奥にはゆったりとしたソファ席がある。

変化しますが、とびきりあまいシャインマスカット、スイカ、パイナップルなどが。それぞれ新鮮なことはもちろんのこと、食べごろの状態を見極められたもので、ひと口ごとに新たな感動が生まれます。誰かと分け合うのもよいですが、ご褒美として一人占めしたいものです。

窓際の席には光が差し込み、ジュース類はその光を吸収してキラキラと輝きます。レモンジュースに入っている輪切りのレモンの皮がきちんと剥かれているところに、お店のやさしさを感じられます。

創業時からメニューは増えており、レシピは青果店で調理を担当している小澤さんをはじめ、他スタッフでも同じものが作れるように手を加えられていきました。

小澤さんは元々料理店で働いていましたが、「父親のような存在でもある」

JR小岩駅の目の前にある同店。ひと息入れるには最高の立地と空間。

フレッシュジュース
（右：レモン、左：グレープフルーツ）

という渡辺さんに出会い、この世界に入りました。

「果物は、地球上にある食べ物の中で、手を加えなくてもおいしい唯一のもの。生産者、選ぶ人、作る人、提供する人がいてはじめてお客さまに届けられます。他の店ではこんなに大きくカットした果物はなかなか出せないと思います」と小澤さん。その言葉に、果物たちはラフォーレにやってきて幸せに違いない、と思うのでした。

◎珈琲専門店 ラ フォーレ

2018年7月休業

フルーツの極み

香り豊かで瑞々しい
あまみ滴る
極上の食べ方

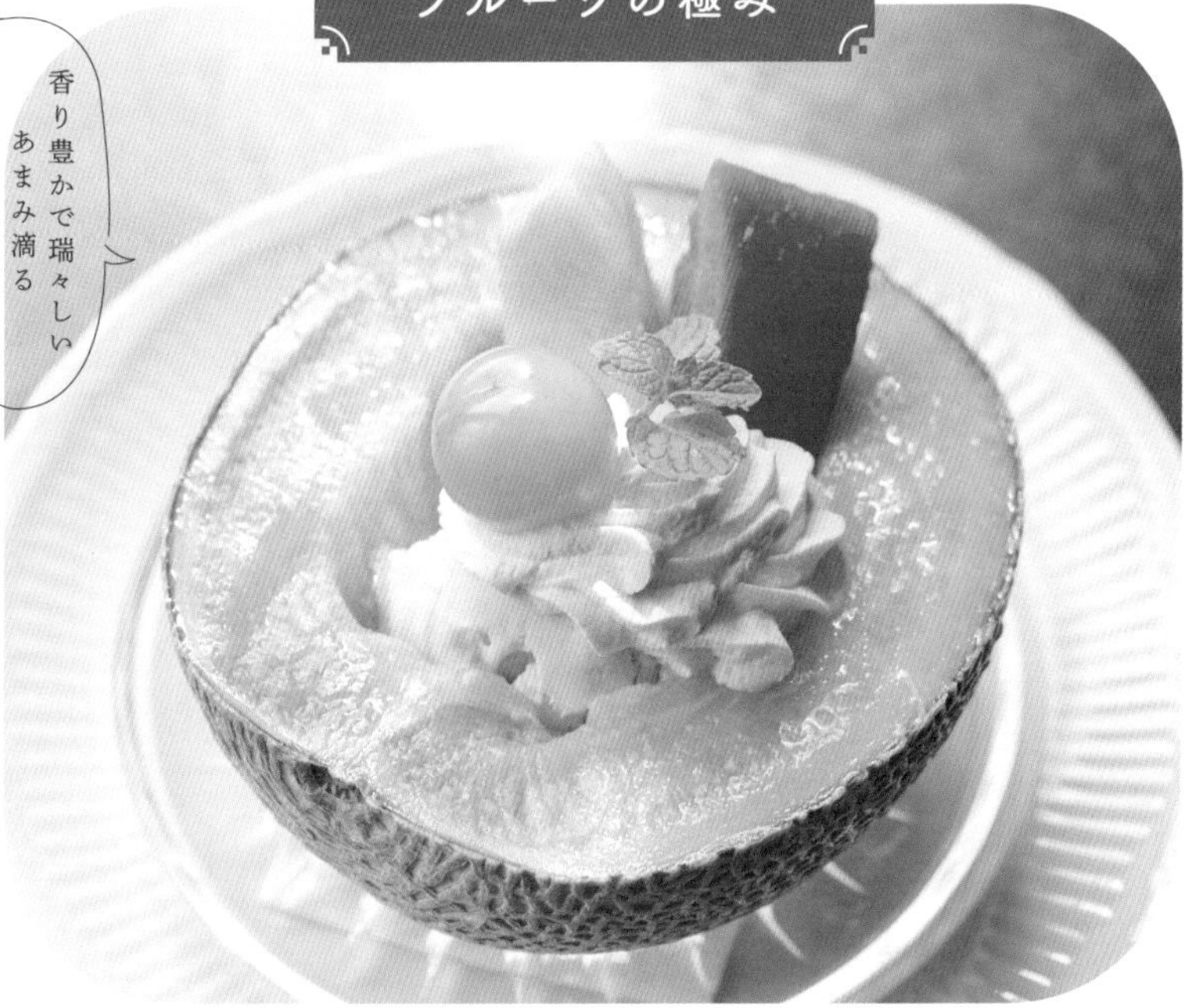

メロンボード

マスクメロン半分を器に、アイス、生クリーム、シャインマスカット、スイカ、パイン（果物は時期で変わる）を盛った逸品。

渡辺さんの目利きで選ばれた果物はどれも一級品。希望があれば果物についての説明もしてくれる。

1階で果物を販売。フルーツデザートのテイクアウトもある。

アルプス

手間暇かけてこそ得られる評価
見た目と味が洗練されたケーキ“スワン”

駒込駅北口から少し歩いたところに、ガラス張りの明るい建物があります。お店に入ると、さまざまなケーキがずらりと並んだショーケース、そして2階へと上がる階段の壁を華やかに飾る東郷青児氏の絵画に目を惹かれます。アルプス洋菓子店の創業者は、かつて同じ通りにあった「山」という喫茶店と、「駒」という洋食店を営んでいました。食事を扱う営業形態は雨の日の客入りが安定しないという理由から1959年に洋菓子を扱う同店を創業。アーチを描く石膏の天井や壁、御影石が使用された1階の床、マホガニーで作られた椅子、桜の木を利用した手すりなど、当時の金額で1億円ほどかけて造られた店内は、豪華そのもの。

現在同店のシェフを務める三代目店主の太田さんは大学時代に工学部動力機械工学科で学び、鎌倉の「レ・ザンジュ」を経て、海外2カ国で修業した

スワン
一つひとつが手作りなため、表情や形が違う。

1階にあるケーキ類のショーケース。焼き菓子も販売している。

後に同店を継いだという興味深い経歴の持ち主。植物性と動物性の素材を合わせるための配合比率をきちんと計算するなど、華やかなお菓子の世界とはまた違う緻密な技術の視点を持っています。

「すべてにおいて『本物』を使用している」というのが創業時からのポリシー。ケーキの持ち帰りは、保冷バッグに入れたとしても2時間が限度。それは保存料などの入っていない良質な材料を使用しているからこそ。「何も隠すことはないですからね」と笑うその表情に、お菓子一つひとつへの自信を感じます。

そんな自信作の一つが「スワンシュークリーム」。白鳥の形をしたシュークリームの顔の部分は余った生地を使用して細い口金で作られ、首の部分が最も難しいそうです。「大変な作業ですが、手間を省いたらプロではない。どうやってたくさんのケーキをおいしく、効率

ホテルの喫茶室のような重厚感のある2階席。3階席もある。

的に作るかを考えるのが自分の役割」と太田さん。手作りのため、それぞれスワンの表情が違うところも愛おしくなる要因です。見た目だけでなく味も個性的で、生クリームには栗が入っています。

また、「サバラン」も多くの人を虜にしているメニュー。紅茶ベースのアルコールがほのかに感じられる繊細な味わいです。シロップをスプーンですくい、最後の1滴まで味わいたいものです。

「私の作るお菓子は、二代目の父の味とはまったく違います。同じ材料、配合なのにおもしろいですよね。だからこそ満足することはありません。明日も食べたくなる味を目指したいんです」と太田さん。また、「コクのあるお菓子との相性を考えて酸味をきかせたコーヒーを提供しています。機械を使用してコーヒーを淹れているのですが、そのメーカーに相談し、何度も緻密な調

サバラン

整をしてもらいました。機械なら淹れる人によって味が変わりませんからね」とコーヒーに対しても独自の思い入れがあります。

「世の中に合わせるのではなく、この店から流行を作りたい」と考えるアルプスは、夕方になるとずらりと並んだケーキがほとんどなくなります。家族のために持ち帰りするお客さんも多数。

また、同店ではケーキの大きさを揃えています。どうしてかわかりますか？それはケーキが入った箱のふたを開けた際、ぱっと見で、「大きいものから好まれるのはかわいそうだ」という、ケーキに対する愛情からなのです。

◎アルプス洋菓子店

2019年3月閉店

店主・太田さんが出会った縁の数々

駒込
アルプス

三代目店主・太田さんは先代が築いたものを継承しつつも、独自の感性や考えでさらなる進化を目指した。それを成し遂げるための要因の一つに人との出会いがある。

知り合いの紹介でフランスに渡り、アメを使用したお菓子をはじめ、フランス料理全般を学ぶ。

▲三代目店主の太田さん。伝統を重んじながらもヨーロッパ留学の経験をお菓子作りに生かす。

そんな折、ある人と出会いスイスに誘われる。こういった機会で躊躇しないのが太田さん。スイスでの修業は、チョコレートを使用したお菓子を学ぶのに最高だった。

しかし、再びフランスに戻ることに。部屋を引き払わず、荷物もそのままにしていたからだ。とはいえ、縁は再びやってくるもので、偶然、三ツ星レストランの求人を見つけて働くことに。さらに大家さんの紹介でホテルのレストランでも勤務。こうして人伝いにお店での経験を重ね、海外での3年間はあっという間に過ぎた。

▲2階喫茶スペースへの階段の壁には、巨大な東郷青児氏の絵画（原画）が飾られている。

お店を継ぐことは、この家に生まれた宿命だという太田さん。お菓子作りの職人になったことも、一つの縁だったのだろう。

こけし屋

いつの時代も愛され続けた
良心価格の四角いイチゴショート

松本清張氏、開高健氏など、名だたる著名人たちが常連で、「カルヴァドスの会」と称して集まっていた「こけし屋」。「西荻窪駅は改札が一つなので、待ち合わせがしやすいですね」と話してくれたのは、店長の川上さん。

元々は洋品店を営んでいた先代が、随筆家・石黒敬七さんのアドバイスを受けて1949年に珈琲店とし、2年後には洋菓子を始め、さらにその2年後にはフランス家庭料理の店を併設しました。店名は、当時どこの家庭にも必ずあった「こけし」が馴染みやすいのではないか、と考えたのが由来。最初は先代の所持品が飾られていましたが、引っ越しをする常連さんから「この子たちも仲間に入れて」と預けられ、今では店内に500体以上あるそうです。

多種あるケーキは、はじめて訪れた人なら必ず驚くであろう、良心的な価格ばかり。200~300円台が中心で、

1階で販売されているケーキは、2階の喫茶室でも提供されている。

—こけし屋—

いちごショートケーキ

フランス料理店でもあるこけし屋は、ケーキ類のほか惣菜もテイクアウトできる。

中には1000円台のものも。「1000円を持ってケーキを買いにきても他の店だと3個も買えない。ところがこけし屋だったら4個、5個と買えるんです。箱を開けたときに選べる楽しみがあるといいでしょ?」と川上さんは目を細めます。同ビル6階が製菓工場で、その日の売れ行きを確認しながら作るので無駄が出ず、配送コストや人件費などをおさえられるから、この価格で提供できるのだそう。

ケーキは、「ケーキの王様」といわれるショートケーキ、「アルメット」と名づけられたアップルパイ、「フランボアーズ」などが特に人気です。コーヒーは創業当時と同じくネルドリップで淹れられ、酸味が少なく、すっきりとした味。ケーキとの相性も抜群です。

3階のフレンチレストランの入口には、1枚の写真が飾られています。実はこちらが大変貴重なもので、松本清張氏

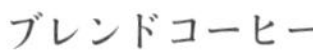
ブレンドコーヒー

アルメット

が撮影したフランスの有名レストランの写真。額の裏側には直筆のサインとイラストまで描かれているのです。

また、こけし屋の名物「朝市」は、約35年前、人気エリアの吉祥寺駅と荻窪駅に挟まれた西荻窪を盛り上げようと考えたのが始まり。比較的空いている第2日曜日の駐車場を利用して即売をおこなったそう。その後、お客さんの「でき立て、温かいものをその場で食べたい」という要望に応えるべく、シェフがお客さんの目の前で調理する今の形になりました。朝8時から11時まで、近隣の人たちや遠方からも大勢訪れ、中には飛行機でやってくる人までいるそうです。朝市限定のパンを目当てに並んだ行列は、今では朝市のお決まりの光景です。

「お客さんあってのこけし屋。『こけし屋に来てよかったね、おいしかったね』と笑みを浮かべるお客さんを見るのが

鈴木信太郎氏の絵が店内の至るところにある。

一番うれしいときです」と川上さんはいいます。

　創業時からたくさんの人に愛されてきたこけし屋は、西荻窪になくてはならない存在。喫茶室でくつろぐのももちろんですが、クッキーなどの焼菓子は全国発送も行っているので、遠方の方は、鈴木信太郎氏のイラストがかわいらしい包装紙とともに、自分へのご褒美にいかがでしょうか？

◎こけし屋

2022年3月休業

こけし屋の"こけし"コレクション

お店のシンボル的な存在であるこけしは、店内の至るところで見られる。主に東北のもので、お客さんからプレゼントされたものも多数。定期的に磨いているため、古いものは黒光りしている。

毎月第2日曜日の朝市も名物

第2日曜日、別館の駐車場が、クロワッサンやチョップスティック、カレー、スパゲッティ、キッシュなどを販売する朝市になる。店内も開放し、朝8時から大勢で賑わっている。※2022年2月に終了。

LIPTON

グラスの倍近くもある高さの
口当たりよい、ソフトクリームソーダ

長い間利用されているビルでは、昔ながらの趣を残したお店と出会えることが多々あります。1970年に竣工した西五反田のTOCビルもその一つで、地下フロアには多くの飲食店が入っています。ソフトクリームのオブジェが目印の「リプトン」もここで長い間、人々を迎えています。

オーナーである阿部さんはかつて銀座でレストランを経営していましたが、30年ほど前に紅茶で知られる「リプトン」を母体とした同店を開きました。船の中をイメージした内装は、当時数千万円掛けたといわれる豪華なもので、豹柄の天井をはじめ、かつてはキッチンと客席を隔てるガラスがマジックミラーになっていたなど、内装デザインへのこだわりは細部にまで至ります。

当時、喫茶店で多く飲まれたのはコーヒーで、紅茶を楽しむ人はまだ数少なかったそうですが、阿部さんは自分が

クリームソーダ

ソフトクリームはテイクアウトも可能。各メニューのボリュームは食品サンプルでも一目瞭然。

好きだったことから、スコーンなど紅茶に合う食べ物もヨーロッパ文化を意識しました。

また、「手がかからずに提供できる、他の店にはない魅力的なメニューを」という思いで始めたのが、ソフトクリームです。自家製で、配合を追求したソフトクリームは、店外のオブジェが象徴しているように、お店の看板メニューになりました。それはソフトクリームがさまざまなメニューでさらなる魅力を発揮しているからです。

例えば、クリームソーダ。一般的には緑色のメロンソーダの上にまるいアイスクリームが乗せられていますが、こちらでは大きめの氷で冷やされたメロンソーダの中にサクランボを入れ、高さ10センチはあるソフトクリームを飾った、まるでパフェのようなスタイル。ソフトクリームもメロンソーダも控えめなあまさのため、混ざり合っても爽

船の中をイメージした店内。広々とした空間、暖色の灯りでゆっくり落ち着ける。

やかな味わいのままです。

他にもおもしろいメニューが。コクがある苦めのアイスコーヒーに、つぶあんを乗せ、上からソフトクリームを盛った「アイスぜんざいコーヒー」です。あんは阿部さんがいろいろな種類を吟味し、コーヒーに最も合うものを見つけたそう。この不思議なハーモニーの虜になったファンは数知れません。

また、14時〜15時半（バーゲン期間は除く）に食事を注文された方に限り、ソフトクリームがミニサイズでサービスされます（※時期によってサービス内容が変更することがあります）。「ミニ」とつけられていますが、世間ではこれが普通サイズというくらいのボリューム。通常時間でも食事をされた方ならプラス100円で注文できます。食後の冷ややかなあまみは、至福そのものです。

「昔はビルに入っている企業からの出前注文が多くて忙しかったわ。どこで

レジ横にあるソフトクリームのマスコット。

アイスぜんざいコーヒー

も何でも買える時代になったけど、一人ひとりに丁寧なサービスを提供できるのは喫茶店ならでは。日本の魅力だと思います」と時の流れを振り返るように阿部さんは話してくださいました。

世の中がどれだけ便利になり、手軽にコーヒーや紅茶を飲めるようになっても、喫茶店で過ごす居心地やゆっくりとした時間はかけがえのないもの。その価値は時代が変わっても決して色褪せることはないでしょう。

◎リプトン
2022年3月閉店

時間限定、お食事注文でミニソフトのサービス

パスタやカレー、サンドイッチなど料理メニューも豊富なリプトン。お腹を満たした後にソフトクリームを食べる人も多い。

難波 里奈（なんば・りな）

「昭和」の影響を色濃く残すものたちに夢中になり、当時の文化遺産でもある純喫茶の空間を、日替わりの自分の部屋として楽しむようになる。時間の隙間を見つけては日々訪ね歩いたお店の情報を発信。「純喫茶とあまいもの」シリーズ（誠文堂新光社）や『文庫版 純喫茶コレクション』（河出書房新社）など著書多数。純喫茶の魅力を広めるため、マイペースに活動中。

撮影　柴田愛子、スタジオダンク
デザイン　田山円佳（スタジオダンク）
編集　スタジオポルト
校正　ケイズオフィス

一度は訪れたい名店と、記憶に残るあのお店
新装版 純喫茶とあまいもの

2018年 7月13日 第1版 発 行
2023年 2月16日 第2版新装版 発 行

NDC672

著　者　難波里奈
発行者　小川雄一
発行所　株式会社 誠文堂新光社
〒113-0033 東京都文京区本郷3-3-11
電話03-5800-5780
https://www.seibundo-shinkosha.net/

印刷・製本　図書印刷 株式会社

ISBN 978-4-416-62313-8